ДМИТРИЙ ЧЕРКАСОВ

РЕГЛАН ДЛЯ БРАТВЫ

Убойно Смешной Детектив

МОСКВА
«Астрель-СПб»
Санкт-Петербург
2006

УДК 821.161.1
ББК 84 (2Рос=Рус)6
Ч-48

Серия «Убойно Смешной Детектив»

Художник *Д. Чернов*

Черкасов, Д.

Ч-48 Реглан для братвы / Д. Черкасов. — М.: АСТ; СПб.: Астрель-СПб, 2006. — 271, [1] с. — (Убойно Смешной Детектив).

ISBN 5-17-034141-5 (ООО «Издательство АСТ»)
ISBN 5-9725-0215-1 (ООО «Астрель-СПб»)

Уважаемые Авторы!

Издательства «АСТ», «Астрель-СПб» и «Валери-СПб» приглашают вас к сотрудничеству. Если у вас есть интересная ироническая, пародийная или просто смешная история с почти (или совсем, или вовсе даже не...) фантастическим сюжетом, которую вы хотели бы опубликовать в нашей серии «Убойно Смешной Детектив», вы можете прислать вашу рукопись по почте на адрес издательства либо на e-mail с пометкой «Каргину В. А.». В случае написания вами хорошей книги гарантируем высокие гонорары и общероссийскую известность! Желаем вам творческих успехов и с нетерпением ждём новых интересных историй.

Тел.: 8-911-9438000
E-mail: valery_spd@land.ru
Почтовый адрес: 190121, СПб., пр. Римского-Корсакова, 117.

УДК 821.161.1
ББК 84 (2Рос=Рус)6

Подписано в печать с готовых диапозитивов заказчика 23.09.05.
Формат 84×108 1/32. Бумага газетная. Печать офсетная.
Усл. печ. л. 14,3. Тираж 5100 экз. Заказ 2996.

Общероссийский классификатор продукции
ОК-005-93, том 2; 953000 — книги, брошюры

Санитарно-эпидемиологическое заключение
№ 77.99.02.953.Д.001056.03.05 от 10.03.2005 г.

ISBN 985-13-5982-3
(ООО «Харвест»)

Наша Таня, типа, плачет,
Уронила в речку мячик.
Нет бы ей прикинуть, дуре,
Не утонет он, в натуре...

*Правильное прочтение
известного стишка*

По клетке не стучать! Хомячки не сдохли — они просто спят!

Объявление в зоомагазине

В 2001 году выпускникам санкт-петербургской Школы милиции для проверки уровня их логического мышления был предложен несложный тест: надо было вставить пластмассовые детали круглого, квадратного и треугольного сечения в прорезанные в доске отверстия соответствующей формы. По результатам теста будущие стражи порядка разделились на две группы:
1. Полные идиоты.
2. Очень сильные.

*Из статьи в газете «Невский братан»,
16 июля 2001 года*

Пролог

> Еще до первого полета человека в космос спецы с Байконура запускали на спутниках магнитофонные записи человеческой речи – для проверки голосовой связи между Землей и кораблем. На Западе тут же поднялся шум: дескать, русские отправляли на орбиту пилотов-смертников, чьи голоса перехватывали радиоразведки США, Франции и Великобритании. После этого советские ракетостроители запустили кассету с записью хора Пятницкого...
>
> *Исторический факт*

– Ну, блин, вы и забрались! – Антон, осторожно ступая по раскисшей грязи своими начищенными до блеска серо-стальными штиблетами из змеиной кожи, за которые он выложил полторы тысячи долларов, обошел застрявший в десятке метров от лесной опушки роскошный темно-синий «BMW X5iS Luxury» и грустно обозрел полностью вывешенное правое заднее колесо и на треть зарывшиеся в землю передние.

Мощный автомобиль, легко набиравший на хорошем асфальте скорость за двести километров в час и обутый в низкопрофильную спортивную резину со сложным всепогодным протектором, лежал на брюхе и всем своим видом демонстрировал, что сдвинуть его с места, не прибегая к посторонней помощи, будет зело проблематично.

— Я тебя предупреждал, что здесь на твоем шоссейном монстре делать нечего,— веско заявил Денис Рыбаков, хлюпая по луже в высоких резиновых сапогах, кои он предусмотрительно надел еще в городе.— Ты не послушался...

— Кто ж знал? — печально забубнил Антон, перепрыгнув на более-менее сухую обочину проселочной дороги, и принялся вытирать подошвы ботинок о ломкую жухлую траву. Несмотря на то что последние три дня лили дожди, растительность на песчаной обочине выглядела словно после месячной засухи.— Всего-то три километра от городской черты...

— Это не аргумент,— Денис покачал головой.— Вон, Горыныч [1] на своем «навигаторе» в ста метрах от Невского проспекта умудрился в траншею сверзиться.

— Так то в траншею,— горе-водитель присел на корточки и заглянул под днище «бомбы-внедорожника».— К тому же Данька был такой пьяный, что вообще непонятно, как он в этом состоянии из Дюн [2] приехал... Его ж, блин, в машину отволокли, чтобы поспал. И ключей у него не было.

---

[1] *Горыныч* — Даниил Колесников.

[2] *Дюны* — комплекс отдыха и развлечений в нескольких километрах от Санкт-Петербурга, на берегу Финского залива.

— Горынычу отсутствие ключей не помеха,— Рыбаков дошел до кормы столь совершенного на скоростных трассах, но пасующего на серьезном бездорожье изделия баварских инженеров и подергал сдвоенный хромированный патрубок глушителя.— Самец, однако... А я и не знал, что Данька был выпивши. Он утверждает, что это гнусные наветы клеветников-гаишников. Типа, он был трезв, как никогда...

— Щас! — Антон распрямился.— Когда его мусора из тачки выволокли, Горыныч даже сам стоять не мог. И песни пел...

— А что исполнял мой друг Данька? — заинтересовался Денис.

— Говорят, арию Мистера Икса... «Уста-а-ал я греться у чужого огня, но где же сердце, что полюбит меня-я... Живу без ласки, боль в душе затая-я-я! Всегда быть в маске — судьба мо-о-о-я-я...»,— зазвучал приятный баритон Антона, которому в далекой юности прочили карьеру оперного певца. Если бы не увлечение боксом, победы на мировых чемпионатах и Олимпийских играх и мрачная бесперспективность ухода из большого спорта, то сейчас достославный бригадир прозябал бы на нищенскую зарплату, выступал бы с концертами по всему миру, получая в лучшем случае по двадцать долларов за вечер, был бы женат на какой-нибудь похожей на вяленую воблу истеричной балерине из второго состава и тихо спивался бы вместе с коллегами-артистами.— Паваротти, блин...

— Может, это у него от шока? — предположил Денис с каменным выражением лица.

— Шок был позже. И не у него, а у ментов.

— Да, метелить мусорят в их же собственном заведении — это слегка чересчур,— согласился Рыбаков, наслышанный о похождениях Горыныча, бодро разгромившего ближайший к месту аварии отдел милиции, куда неуправляемое тело опрометчиво доставили сотрудники ДПС.

Большой ошибкой стражей порядка было то, что они сочли гражданина Даниила Колесникова не способным оказать достойное сопротивление по причине бурлящего в крови братка алкоголя. Сразу по приезде в околоток они принялись оскорблять пребывавшего до сей поры в добродушном расположении духа и одаривавшего окружающих широкой улыбкой статридцатикилограммового верзилу, называя того «виновником чудовищных ДТП», «террористом», «мерзавцем» и «сволочью». Дело в том, что на маршруте «Дюны — траншея» джип Горыныча четырежды бил мощной хромированной решеткой хлипкие «Жигули» ментозавров, зачем-то пытавшиеся перегородить дорогу весело несущемуся по ночному городу двухтонному темно-зеленому чуду зарубежной технической мысли.

Потрясенный вероломством людей в серой форме, коих с момента извлечения из салона «Линкольна Навигатора» и до приезда в райотдел Даниил считал милейшими ребятами, решившими просто помочь ему добраться до дома и поддержать его пение хоровым бэк-вокалом, браток вскипел и принялся бросать как тяжелые предметы в стражей порядка, так и их самих об стены и в окна. Превращение Горыныча из расслабленной заторможенности тряпичной куклы в состояние взбешенного Терминатора, которого цинично обозвали «тухлым тамагочи», было столь стремительным, что близко стоявшие к дотоле спокойно сидевшему на стуле верзиле милиционеры даже не успели поднять свои дубинки и в считанные секунды были сметены, затоптаны и морально уничтожены.

Колесников вырвался на оперативный простор коридора, примыкавшего к кабинету, куда его затащили, и продолжил разгром хоть и превосходящих его по численности, но неподготовленных к такой битве сил противника в количестве полутора десятка прапорщиков и сержантов патрульно-постовой службы. Пэпээсники пытались было порскнуть в стороны, однако не успели, ибо предусмотрительный и готовый к такому повороту событий Горыныч использовал методику игрока в американский футбол — наклонив бритую шишковатую голову и широко раскинув длинные волосатые руки, он ринулся на кучку блюстителей правопорядка и загнал их в украшенный двумя фикусами тупичок-курилку, тем самым лишив ментов возможности применить огнестрельное оружие.

В тупичке Даниил уже не торопясь и с большим чувством набил морды тщедушным «скворцам» [1], непривычным к физическим нагрузкам, а тем более — к рукопашному бою, отобрал имев-

[1] *Скворец* — сотрудник МВД, обычно — патрульный милиционер в форме (*жарг.*).

шиеся у них в наличии восемь коротких автоматов и четыре «макарова» и привел их в полную негодность, поочередно зажимая стволы между мощными стальными косяком и дверью в дежурное помещение и сгибая их почти под прямым углом.

Напоследок Горыныч смачно плюнул на копошащуюся под упавшими фикусами кучу малу в серо-синей униформе и с гордо поднятой головой убыл из отделения, растворившись во тьме зимней питерской ночи и в лабиринте проходных дворов, коими так славна Северная столица.

Взвод ОМОНа, прилетевший по звонку единственного успевшего спрятаться в одном из кабинетов перепуганного заикавшегося сержанта, прочесал окрестности, отловил трех бомжей и пятерых вооруженных потертыми пистолетами ТТ «лиц кавказской национальности», предотвратив тем самым разбойное нападение на квартиру вороватого помощника представителя президента по Северо-Западному административному округу, в недалеком прошлом — начальника штаба Северного флота, уволенного в запас после катастрофы с атомным подводным ракетным крейсером «Мценск». Но «виновник торжества» так и не был обнаружен, о чем гордые своим неожиданным успехом омоновцы и пришедшие в себя пэпээсники из райотдела составили коллегиальный пространный рапорт, изобиловавший грубейшими грамматическими ошибками, но тем не менее попавший на стол аккурат к свеженазначенному начальнику ГУВД.

Пузатый генерал-лейтенант в рассказку о братке-одиночке не поверил, вызвал к себе руководителя опозоренного отдела милиции и долго кричал на подполковника в своем кабинете, обвиняя того в попытке скрыть правду о сумасшедшей ночной пьянке, закончившейся дракой между участниками и порчей казенного имущества.

Подполковник багровел, спустя секунду бледнел, потом икал и кашлял, затем пукал и нервно почесывался, лепетал что-то невразумительное, чем лишь подтвердил подозрения генерал-лейтенанта.

В конце беседы взбешенный главный правоохранитель Северной столицы вынес начальнику РОВД строгий выговор и приказал вычесть стоимость пришедшего в негодность оружия из зарплат патрульных...

– Черт! – Антон почесал в затылке и бросил взгляд на росшие всего в десятке метров от дороги тополя.– Завязли конкретно. И лебедки нет. Не предусмотрена, блин. А то б прицепились к дереву и рванули...

– Надо было «Хаммер» у Кабаныча [1] взять,– вздохнул Денис.– Я тебе предлагал. Или «ниссан патруль» у Циолковского [2]. У него их все равно два: зеленый и черный, причем обоими он не пользуется. Стоят в качестве элементов декора интерьера гаража...

---

[1] *Кабаныч* – Андрей Николаев.

[2] *Циолковский* – Андрей Королев.

– Надо было... Но поздно уже. Сколько до места-то?

– Если напрямки,– Рыбаков махнул рукой в сторону раскинувшегося слева от дороги заливного луга,– то километра два всего. По дороге все пять будет, она в объезд свинофермы идет.

Антон достал из нагрудного кармана куртки серебристый мобильник «Siemens SL45» и набрал номер Гугуцэ [1].

– Боря! Слушай, мы тут застряли... Ну...– Небольшого роста бригадир сплоченного братанского коллектива поджал губы, услышав рекомендацию Гугуцэ в следующий раз брать нормальный внедорожник, а не выпендриваться перед деревенскими девками, раскатывая на спортивных универсалах.– Диня то же самое говорит... Да, я знаю, что у Циолковского есть... И про «хаммер» Кабаныча!.. О «рэндж ровере» Мизинчика [2] можешь даже не вспоминать, я в курсе... Угу... Ребят пришли, пусть мою «бомбу» из грязи вытянут и к точке подгонят, а мы пешочком доберемся... Нет, я не в белом костюме... Короче, я тачку закрывать не буду, ключи под передним пассажирским креслом брошу... Да, под коврик... Лады, давай,– Антон выключил телефон и полез в «BMW».

Рыбаков засунул руки в карманы куртки и выбрался на обочину.

«Начался весенний призыв в Вооруженные силы нашей любимой Родины,– раздался бархатный

---

[1] *Гугуцэ* – Борис Евгеньев.

[2] *Мизинчик* – Павел Кузьмичев.

голос диктора любимой всеми правильными пацанами и большинством вменяемых питерцев радиостанции „Азия-минус“.— Армия — это такое место, где вы можете познакомиться с огромным количеством новых, интересных людей и убить их...»

— Именно,— себе под нос буркнул Денис.

Антон закончил возиться в салоне внедорожника, вылез, захлопнул дверцу и посмотрел на старого приятеля.

— Я готов...

— Тогда пошли,— Денис указал рукой на развалины, видневшиеся в полукилометре от дороги.— Ориентир — останки водонапорной башни...

Глава 1

В ОЖИДАНИИ ЛАВЭ

> Царь-колокол безгласный, поломатый,
> Царь-пушка не стреляет, мать ети!
> И ясно всем — евреи виноваты,
> Осталось только летопись найти...
>
> *Игорь Губерман*

Капитан Геннадий Андреевич Опоросов бодро взбежал на покосившееся крыльцо своего родного райотдела милиции номер тридцать пять, распахнул обитую когда-то лакированной вагонкой, а теперь сильно обшарпанную входную дверь в серобурых тонах и шагнул в узкий коридорчик, ограниченный слева свежеокрашенной стеной в желтых разводах подсыхающей темперы, а справа — забранным толстенной решеткой окном комнатушки дежурного, едва видного сквозь мутный и поцарапанный плексиглас.

На опера тут же накатила волна знакомых запахов.

В коридорчике, как, впрочем, и во всем здании райотдела, стоял тяжелый дух перегара, мокрых шинелей, копченой сельди, гуталина и чеснока, слегка облагороженный ароматом польской туалетной воды «Hugo Boss», коей обожали пользоваться дознаватели и сержантский состав РОВД. Интересно, что вода использовалась как в качестве наружного средства, так и для облегчения похмельного синдрома.

Туалетной воды было много.

Грузовик с нею был задержан глазастыми пэпэсниками у станции метро «Пионерская» всего месяц назад. Крикливый барыга-азербайджанец так и не смог представить документы на товар, в связи с чем коробки со спиртосодержащей жидкостью были конфискованы в пользу правоохранителей и складированы в подвале, откуда двухсотмиллиграммовые пузырьки мог взять любой желающий из числа сотрудников.

Излишне говорить, что этой халявой пользовались все.

Дошло до того, что именины недавно переведенного из Выборгского района в Приморский дознавателя Яичко [1] по кличке «Глухаридзе», совпавшие с днем накануне получки, когда стражи порядка в тридцать пятом РОВД, да и не только в нем одном,

---

[1] *Капитан Александр Александрович Яичко* — персонаж романов Д. Черкасова «Шансон для братвы» и «Косово поле. Россия» *(прим. редакции)*.

бродили с остекленевшими от безденежья и голода трезвыми глазами, прошли под лозунгом: «„Hugo Boss“ — не дай себе засохнуть!»

В качестве закуски именинник выставил на стол кулек засохших до состояния гранита сливочных ирисок и невесть откуда взявшуюся литровую банку варенья из арбузных корок, а коллеги притащили две коробки с туалетной водой. Отмечали весело, праздник затянулся до глубокой ночи. Расчувствовавшийся Яичко даже сочинил хвалебную оду неизвестным польским работягам, залившим во флаконы столь живительную влагу, и продекламировал ее осоловевшим и частично отключившимся товарищам.

Арбузное варенье неизвестного происхождения привело в дальнейшем к тому, что работа РОВД, и так весьма далекая от совершенства, была полностью парализована трехдневным поносом всех участников застолья...

Немного уставший после ночного допроса пойманного с поличным карманника, в процессе которого дознаватель активно подкреплялся розовым вермутом из носимой у сердца фляги, и потому пошатывающийся, Опоросов аккуратно, чтобы не измазаться в ядовито-желтой краске, миновал коридорчик и ступил на вздутый в некоторых местах и изрядно выпачканный линолеум квадратного холла, куда выходили двери дежурной части, помещения для задержанных и постоянно запертого на огромный ржавый навесной замок туалета для посетителей и где был проход к лестнице на второй и третий этажи.

В холле за двухлитровой пластиковой бутылкой украинского пива «Сокіл дюже крепкій» коротали время сержанты Погорельцев и Баянов.

Под скамьей, на которой восседали пэпээсники, лежали две уже опустошенные емкости.

Опер небрежно кивнул опохмелявшимся коллегам, сурово посмотрел на неподвижно лежащего посреди холла в позе морской звезды ефрейтора Дятлова, под которым растеклась маленькая лужа, но ничего не сказал и двинулся дальше.

— Слушай, Леха,— Баянов возобновил прерванный появлением Опоросова разговор и попытался сфокусировать взгляд на изрытом оспинами лице Погорельцева.— А что б ты выбрал: один раз заняться любовью с Машкой из канцелярии или два раза — с Пасюком?

— С Пасюком? — немного удивился сержант, представив себя в объятиях грузного усатого старшины.

— Да! — Баянов с пьяной настойчивостью мотнул головой.

— Ну-у...— протянул Погорельцев.— Даже не зна-а-а-ю...

— Нет, ты ответь! Ведь ты мне друг?

— Друг,— подтвердил сержант.

— Тогда ответь!

— Знаешь, Ро-о-ома,— задумался Погорельцев,— Машка — это, конечно, кру-у-уто, но два раза — это два раза!

— Вот! — Баянов погрозил товарищу пальцем.— А в баню со мной идти отказываешься...

Опоросов не стал дослушивать содержательную беседу пэпээсников и потопал вверх по лестнице.

Личная жизнь сержантов его волновала гораздо меньше, чем предстоящий долгий рабочий день и назначенное на послеобеденное время плановое медицинское освидетельствование сотрудников РОВД.

В коридоре второго этажа, где располагалось с десяток кабинетов дознавателей и оперативников местного ОУРа, было относительно тихо.

Лишь из комнатки, которую делили между собой Яичко, Землеройко и Палиндромов, доносились невнятные крики Глухаридзе, запертого вчера вечером в стенном шкафу и теперь рвавшегося наружу, и визгливая ругань его соседей по кабинету, разыскивавших ключ от шкафа и обвинявших друг друга в потере этого маленького, но столь нужного кусочка металла.

Геннадий Андреевич добрел до двери с криво прикрученной шурупами эмалированной табличкой, на которой значилось: «Кап. Опоросов Г. А., старш. лейт. Самобытный К. Г.» — и попытался войти.

Но безуспешно, хотя, судя по доносившимся из кабинета звукам, там кто-то был.

За дверью слышался невнятный шепот и раздавалась музыка из стоявшей, как помнил Опоросов, на сейфе огромной ярко-красной магнитолы «Panasonic», проходившей как вещественное доказательство по делу о квартирной краже трехлетней давности. Материал давно списали в архив, не обнаружив «события преступления» и потеряв две трети документов из папки с делом, а вот вещдок остался.

— Киря! — Капитан пару раз стукнул кулаком по гулко отозвавшейся филенке и сморщился от приступа головной боли, вызванного слишком громким звуком.— Киря! Открывай! Я знаю, что ты там!

Шепот за дверью на секунду стих, но тут же возобновился.

— Кириллушка! — проникновенно сказал Опоросов.— Если ты сейчас же не откроешь, я тебе пасть порву...

Недовольство капитана было объяснимо и понятно любому русскому человеку.

В кабинете, за сваленными в углу ржавыми стволами, изъятыми у «черных следопытов» [1], ждала своего часа маленькая заначка в виде двухсотпятидесятимиллилитровой бутылочки жидкости для обезжиривания поверхностей, прозванной в народе «Красной шапочкой» за цвет пластмассовой крышечки. Единственная надежда страдающего от жажды опера, отрада измученного ментовского организма в целом и услада распухшей печени в частности.

Несчастный Опоросов еще раз поскребся в дверь:

— Ну, Киря! Ну, открывай!

— Не нукай, не запрягал! — раздался вдруг неожиданно громко и четко голос старшего лейтенанта Кирилла Самобытного.

Капитан поискал источник звука и понял, что голос доносится из широкой десятисантиметровой щели между нижним обрезом косяка двери и полом.

[1] Черные следопыты — индивидуумы, промышляющие сбором оружия и сохранившейся амуниции в местах боев времен Великой Отечественной войны *(сленг)*.

— Киря! — Опоросов бухнулся на колени, просунул в щель пальцы и попытался схватить за нос лежавшего с другой стороны двери Самобытного.— Не вынуждай!

Старлей проворно отодвинулся, прищурился, глядя на шевелящиеся, аки щупальца осьминога, в щели пальцы, и со всего размаху треснул по ним отломанной от стула ножкой.

Раздавшийся визг капитана Опоросова проник во все уголки здания РОВД, заставил дежурного пролить кипяток из чайника себе на ногу, согнал с росшего неподалеку дерева ворон и сильно напугал присевшего, дабы облегчиться, под крыльцом райотдела, младшего сержанта Червяковского. Через мгновение к воплям оперативника присоединились крики дежурного, ошпарившего себе полбедра, и матюги Червяковского, навалившего в не до конца снятые форменные галифе.

— Ах ты скотина! — заорал опер, поднялся во весь рост и смачно влепил носком сапога по двери.

Расхлябанный замок не выдержал удара, дверь распахнулась и заехала точно по носу не успевшего увернуться Самобытного.

Старлей заверещал, откатился на середину кабинета и схватился за лицо.

Опоросов, как разъяренный коршун, с клекотом влетел в служебное помещение и первым делом изо всех оставшихся сил двинул сокамерника [1] ногой под ребра.

Самобытный разверещался еще пуще.

---

[1] Здесь — сосед по кабинету *(милиц. сленг).*

Капитан ринулся в угол, разгреб груду запчастей к ППШ и винтовкам Мосина, кучу ржавых штык-ножей и пустых магазинов к немецким автоматам, и тут ему стало понятно нежелание коллеги открывать дверь. Заначка исчезла.

Белый как мел Опоросов внятно произнес «сука!», повернулся к притихшему старлею, рванул воротник несвежей рубахи, недобро прищурился и полез за пистолетом.

Но Самобытный не стал дожидаться суда Линча в исполнении старшего товарища и на четвереньках рванул через открытую дверь в коридор.

— Куда?! Стоять! — страшным голосом завопил капитан и погнался за улепетывавшим воришкой, своротив по пути магнитолу с сейфа.

Старший лейтенант резво выбежал в коридор, в три прыжка достиг лестницы и помчался вниз. В спину ему дышал неопохмеленный Опоросов, разборка с которым грозила обернуться для Самобытного минимум разбитой рожей и пулей в ноге.

Расхитителей спиртосодержащей собственности капитан не жалел...

* * *

Михаил Грызлов, широко известный оперативно-следственным кругам Северной столицы, да и всей России в целом как весьма асоциальный и склонный к оказанию сопротивления при задержании тип по кличке Ортопед, забросил последнюю лопату цемента в урчащую бетономешалку, рассчитанную на полтонны раствора, с удовольствием пощупал свои налитые недюжинной силушкой бицепсы, объемами более всего смахивающие на бедра годовалого бычка, отер тыльной стороной ладони выступивший на лбу трудовой пот и подсел к раскладному походному столику, за которым Денис, Глюк [1] и Комбижирик [2] расправлялись с привезенными заботливым Клюгенштейном пиццами, запивая их апельсиновым соком прямо из пакетов.

— Эх,— молвил бетонщик-энтузиаст, отламывая себе нехилый кусочек от «блина с колбасой», как именовал гордость итальянской кухни прославившийся далеко за пределами своей Родины брателло Циолковский.— На природе, блин, лепота. Свежий воздух, птицы орут, зелень... В городе киснешь. Не то что здесь...

— Надо чаще на природу выезжать,— согласился Глюк, в последнее время сильно занятый приведением в чувство разболтавшихся за время его вынужденной отлучки коммерсантов и потому дни напролет не вылезавший из душных прокуренных офисов и сырых подвалов, куда свозили совсем уж обнаглевших барыг, посчитавших Аркадия пропавшим навсегда и заимевших себе новые «крыши» в лице малолетних отморозков или корыстолюбивых районных ментов.— Например, на речку...

— На речку не надо,— пробасил Комбижирик, отрывая уголок очередного тетрапакета с соком.— Там, блин, непредсказуемо все...

---

[1] *Глюк* — Аркадий Давидович Клюгенштейн.

[2] *Комбижирик* — Георгий Собинов.

— Это почему? — заинтересовался Денис.

— Да был я осенью в круизе,— насупился браток.— По Волге...

— И что? — осведомился Ортопед и вскрыл коробку с яркой крупной надписью «Пицца-экспресс».— О, а эта с анчоусами и оливками!

— Я каждого сорта по две взял,— запасливый Глюк ткнул пальцем в направлении своего джипа «Acura MDX» цвета червонного золота, стоявшего у крыльца фанерного домишки, должного сыграть одну из главных ролей в предстоящей через несколько дней операции.— В багажнике лежат.

— В общем, еды нам хватит,— резюмировал Рыбаков и повернулся к Комбижирику.— Ну, так что там, Гоша, в круизе-то случилось?

— Так, ничего особенного, конечно... Но поучительно,— браток влил в пасть полпакета сока, похлопал себя по пузу и откинулся на спинку собранного из титановых трубок стула.— Мы тогда в Астрахань ходили... А в устье Волги есть райончик, где калмыцкие рыбаки бомбят проходящие теплоходы.

— Бомбят? — удивился Глюк.

— Не в этом смысле,— Комбижирик махнул широкой мозолистой ладонью.— Икру по дешевке толкают. Набраконьерят, блин, осетров набьют и продают...

— А-а,— успокоился Аркадий.

— Ага,— рассказчик неторопливо закурил тонкую вишневую сигариллу.— На полном ходу, блин, подходят на моторках к пароходам и лезут в нижние иллюминаторы с банками икры и осетриной. А у меня там как раз каюта и была... Сдвоенная,— уточнил педантичный браток.— И никто ж меня не предупредил об этом народном обряде! Ну, выпили мы под вечер, как водится, я спать пошел... Сплю и вижу дивный сон: кто-то ломится в иллюминатор! Открываю – а оттуда на меня харя узкоглазая смотрит, типа, японец... Все, думаю, доигрался, уже рожи самурайские мерещатся... А харя на ломаном русском меня и спрашивает: «Икра надо?» Ну, прикинул я, это ж все равно сон, чего ж не взять-то? «Надо,— говорю.— Давай...» Тот опять по-русски: «Сколько надо?» «Давай все, чо есть»,— отвечаю. Сон же! Этот штрих желтомордый сует мне трехлитровую банку, потом еще одну, и еще... Я ставлю их под стол, принимаю еще парочку осетров, кидаю в угол, закрываю иллюминатор и заваливаюсь на шконку... Тут опять стук в окно, да понастойчивее, чем в первый раз. Открываю, а там, блин, вместо будки самурайской – ствол обреза. Двадцаточка, вертикалка, ижевского завода,— многоопытный Комбижирик, повидавший за свою насыщенную разными событиями жизнь тысячи стволов и навскидку определявший марку и модель, поднял палец.— И голос: «Дэнги давай или икра назад!» Ну, думаю, наглый какой черт попался! Во сне с меня еще бабки требует! Хотя все равно ж сон... Ладно, думаю, дам ему в морду и икру выкину. Пусть, блин, подавится, животное... Так, типа, и сделал. Обрез вырвал, в харю двинул, банку метнул, потом вторую... Снизу крики, звон стекла, матюги, стрельба началась! Я иллюминатор закрыл и больше на шум не реагировал... Утром просыпаюсь – на столе обрез, под столом – икра, у двери рыбины валяются... Поспал, блин!

— А браконьеры что? — осведомился Денис.— Так все и проглотили?

— Не знаю,— браток пожал плечами.— Может, их менты повязали или рыбнадзор. Они ж такой фейерверк устроили ночью, что только слепой не заметит.

— Со мной был аналогичный случай,— вспомнил Глюк.

— Тоже в круиз ходил? — поинтересовался Ортопед.

— Не, дома у себя... Помните, год назад я с наркодилерами с Некрасовского [1] сцепился?

— Как не помнить! — улыбнулся Денис.— Тебя ж потом ОБНОН [2] разыскивал. Дабы отблагодарить за разгром лаборатории по производству экстази...

— Это позже было,— хмыкнул Аркадий Клюгенштейн.— А тот случай — чутка раньше, в самом начале.

— Ну, поведай,— предложил Грызлов.

— Мне тогда семена конопли под видом орегана [3] вручили,— Глюк пошевелил густыми бровями, вспоминая прошедшие денечки.— Перепутали коробки, типа. Я травкой шашлычок на даче и обсыпал... Вкус — специфический! Но плохо потом — не передать!

---

[1] Имеется в виду Некрасовский рынок в Санкт-Петербурге, одно из самых бойких мест по торговле наркотиками в городе.

[2] *ОБНОН* — отдел по борьбе с незаконным оборотом наркотиков ГУВД Санкт-Петербурга.

[3] *Ореган* — ароматная приправа для приготовления блюд из риса, тушеного мяса, птицы.

— Само собой,— согласился Комбижирик, однажды принявший на грудь литр настоянной на анаше чачи и затем два дня вспоминавший, как его зовут и зачем какие-то незнакомые крепкие ребята, представлявшиеся к тому же его друзьями, предлагают ему съездить на непонятную стрелку.

— Поехал разбираться,— продолжил двухметровый борец за здоровый образ жизни.— Нашел, блин, торгаша давешнего, что коноплю подсунул, дал, соответственно, в дыню... Тут кореша его набежали, во главе с папиком ихним. Ну, слово за слово, жопой по столу... Те вообще оборзели, орут, что травка дороже орегана будет, и я, типа, им еще должен! Это они мне! Прикидываете?

— Прикидываем,— ответил за всех Ортопед.

— Конечно, я не стерпел,— суровый, но справедливый Клюгенштейн всем своим видом выразил презрение к наглому барыге-наркоторговцу, посмевшему хамить уважаемому братану.

— Верим,— кивнул Рыбаков.

— Разумеется,— Аркадий засунул в рот очередной кусок пиццы и пожевал,— я дал ему в фанеру... Но! У этого чудика во внутреннем кармане клифта лежал пакет кокса эдак на полкило... В общем, через секунду все вокруг было покрыто тонким слоем белого порошка...

— Душераздирающее зрелище,— согласился Денис.

— Дядя Ася приехал,— хмыкнул себе под нос развеселившийся Ортопед.— Вернее, дядя Изя.

— Барыга лежит, его кореша — врассыпную, мусора, что рядом случились, рты пораззявили, я весь в коксе, торчки местные уже нацелились меня нюхать, на халяву,— Глюк отпил сока.— Картина Репина «Приплыли»! Ну, ОМОНа ждать я не стал, дал дёру. Кое-как до дому добрался, шмотье все на помойку вынес, сам отдраился под душем и спать бухнулся... И вот в три часа ночи, в полной тишине,— браток понизил голос и немного наклонился вперед,— вдруг — звонок в дверь... Открываю... Бли-и-ин! На лестничной площадке стоят хомячок, небольшой такой жираф и здоровенный синий попугай. И хомячок мне говорит: «К нам поступила информация, что здесь злоупотребляют галлюциногенами!..»

Рыбаков подавил смешок и сжал зубы.

Идея подшутить над Глюком принадлежала ему.

Вместе с Гоблином [1], Мизинчиком и Нефтяником [2] он заехал в магазин игрушек, где были приобретены прекрасно изготовленные французские куклы трех вышеперечисленных представителей фауны. Хомячка, жирафа и попугая разместили перед дверью одной из квартир Аркадия, где тот остался ночевать, позвонили, и, когда сонный хозяин доверчиво распахнул дверь, спрятавшийся в закутке возле лифта Денис тонким голосом произнес заранее подготовленную фразу.

Реакция Клюгенштейна оказалась непредсказуемой.

Вместо того чтобы вступить в разговор со зверюшками или хотя бы попытаться пнуть их ногой,

---

[1] *Гоблин* — Дмитрий Чернов.

[2] *Нефтяник* — Анатолий Берестов.

браток захлопнул дверь и более к ней не подходил, несмотря на настойчивый стук в нее и звонки по телефону, на которые Глюк тоже не отвечал.

Так спустя полчаса четверка шутников и убралась восвояси, несолоно хлебавши, а Аркадий тайно от друзей месяц посещал психоаналитика...

— Да, блин, дела-а,— протянул не знавший о розыгрыше Комбижирик.

Но долго ли, коротко ли текла беседа, однако, так как в числе собеседников был гражданин Ортопед, разговор в конце концов коснулся и еврейского вопроса.

— Я тут кой-чего почитал,— Михаил вытащил из заднего кармана джинсов перетянутую резинкой потрепанную записную книжку в кожаной обложке, весьма похожую на ту, что постоянно таскал с собой Харрисон Форд в киноэпопее про Индиану Джонса.— Мне чувак один статейку перевел. Амеровского конгрессмена, от Луизианы. Дэвидом Дюком кличут... Наш человек, надо будет как-нибудь познакомиться, в Россию пригласить,— браток прочистил горло.— И нашел я в ней сильно интересные местечки из Талмуда...

— Изложи,— предложил Денис, поудобнее устраиваясь на стуле.

— Вот,— Ортопед послюнявил палец и нашел нужную страницу.— Слушайте... «Только евреи являются людьми, неевреи — это животные»... [1]

---

[1] Талмуд, Баба Мециа, 114а — 114в. Здесь и далее приводятся реальные цитаты из Талмуда по изданию Talmud, Soncino Edition, 1935. Разумеется, в переводе на русский язык.

— Это как так? — возмутился Клюгенштейн, с презрением относящийся к любым националистическим и расовым предрассудкам.

— А так,— бесстрастно сказал Рыбаков.— Мишель просто зачитывает то, что в синагогах по сто раз на дню повторяется.

— Слушайте дальше,— Ортопед воздел вверх сжатый кулак.— «Даже лучшие из неевреев должны быть убиты...» [1] «Если еврей найдет вещь, потерянную неевреем, то нет необходимости ее возвращать...» [2] «То, что еврей получает воровством от нееврея, он может сохранить...» [3] «Евреи должны уничтожить книги христиан...» [4] И далее, блин, в том же духе... Или вот еще: «Еврейские священники воскресили Валаама из мертвых и казнили его...» [5] Вот тут я не совсем въехал... Какого-то Валаама казнили четырьмя разными способами...

— Валаам — это Иисус,— объяснил Денис.

— Какой? — тупо спросил Глюк.

— Христос, разумеется...

— Не понял,— помрачнел Клюгенштейн.— Они что ж, нашего Иисуса четыре раза мочили?

— Угу,— Рыбаков прикурил от поданной Комбижириком зажигалки и продолжил с интонациями заправского лектора: — Согласно существующим в

[1] Вавилонский Талмуд, Funk and Wagnalls Jewish Enciclopedia, 1907, Gentile, New York, стр. 617.

[2] Талмуд, Баба Мециа, 24а, стр. 666.

[3] Талмуд, Санхедрин, 57а, стр. 388.

[4] Талмуд, Шаббат, 116а.

[5] Талмуд, Гиттин, 57а.

традиционном иудаизме описаниям, после смерти Христа его по указке тогдашних раввинов оживил какой-то еврейский фокусник, и пейсатые всласть над ним еще поизмывались. Как будто на кресте, с их точки зрения, он маловато мучений принял... Варили в дерьме, душили, еще там чего-то делали. И это официальная позиция и даже гордость ортодоксов. У них там даже до сих пор религиозный спор идет, какая из хасидских сект больше усилий приложила, чтобы Христу максимальные страдания доставить. Причем на полном серьезе. Вот так-то...

— А почему его тогда Валаамом называют? — хмуро осведомился Ортопед.

— Это типа псевдонима для нас, гоев. Чтобы такие, как ты, после прочтения Талмуда не пошли убивать всех жидов подряд. Аркаша, к тебе это, естественно, не относится,— спокойно выдал Денис.

Глюк понимающе кивнул.

Определение «жид» Клюгенштейна никак не задевало, ибо он сам ненавидел тех соплеменников, кто спекулировал на теме «еврейского вопроса» и использовал национальную принадлежность для оправдания своих неблаговидных поступков.

— Ибо самая первая реакция любого нормального человека — дать в башню тем, кто придерживается таких уродливых принципов,— менторским тоном продолжил Рыбаков.— Кстати, потому Талмуд ты нигде и не купишь, в отличие от тех же Библии или Корана. Его, вообще, крайне неохотно показывают необрезанным посторонним. Интереснейшая книженция, если вдумчиво прочесть... Сразу многое на свои места становится.

На месте наших горе-патриотов я бы, вместо занудных призывов к еврейским погромам и выпуска тупых листовок, просто собрал деньги и издал хороший перевод Талмуда на русский. Причем с минимальными комментариями, только чтоб объяснить, кого каким именем в этой книжке называют, и что слово «кьютин», которое в настоящее время обычно переводится как «язычник», это просто «нееврей», и не более того. Тираж надо было бы сделать массовым, миллиончик-другой экземпляров, и очень дешевым, в простой мягкой обложке. Дабы допечатывать по мере необходимости, если братья пархатые начнут скупать свой Талмуд партиями и где-нибудь потихоньку сжигать... А они будут, можете мне поверить! В принципе, это элементарное и очень здравое решение так называемой «еврейской проблемы». Если народ будет знать, о чем евреи-ортодоксы меж собой в синагогах талдычут, каких жизненных принципов они на самом деле придерживаются и что реально лежит в основе внешней политики Израиля, то и отношение к ним станет соответствующее... Заодно и тему холокоста навсегда придавим, немцам житуху облегчим. Фрицы только счастливы будут. Все долги разом спишут, да еще и безвозвратные кредиты дадут, чтобы мы остальным европейцам задолженность погасили...

— Напечатать талмуд — это можно,— Грызлов подбросил на ладони свою записную книжку и сурово посмотрел вдаль.— Ради такого дела, я думаю, не западло...

— Не западло,— подтвердил Комбижирик.

— А лимон экземпляров — это сколько денег надо? — поинтересовался Глюк, в паспорте которого стоял огромный штамп отказа в израильской визе.

Запрет на въезд гражданина Клюгенштейна в пределы «земли обетованной» был наложен после того, как заслуженный браток, прибывший в Израиль в качестве туриста, устроил небольшой погромчик на конгрессе выходцев из России, куда был приглашен уличным зазывалой.

Послушав с полчасика истеричные выкрики одного из членов политсовета русской фракции в кнессете, ущербного типа с немного странной фамилией Пилхедман, поливавшего грязью как отличные от иудаизма религиозные учения, так и соотечественников Глюка, коих депутат называл «москальскими подсвинками», браток рассвирепел и принялся валтузить собравшихся, начав, естественно, с оратора.

Драка вышла знатная.

Тела вперемешку со стульями летали по всему залу, а бесчувственная тушка Пилхедмана застряла в проеме выбитого окна. Прибывший наряд полиции вывалился обратно на улицу через три секунды, унося пришибленного кафедрой самого метьяного патрульного, а псевдосионистская методическая литература, на которую ссылался докладчик, была свалена в кучу в центре помещения и подожжена.

Клюгенштейна удалось остановить только взводу армейского спецназа, срочно вызванному по рации перепуганными полицаями.

Да и то — с большим трудом...

— В бакинских — тысяч триста—триста пятьдесят,— прикинул Рыбаков.— Чем больше тираж, тем меньше себестоимость одного экземпляра.

— Это реально,— пожал плечами Комбижирик.— Мы вон с тех сундуков, что в прошлом году вырыли, пять лимонов зелени получили...

— Нет базара,— кивнул задумавшийся о чем-то своем Ортопед.— А где хороший перевод взять?

— Сделаем, если надо,— махнул рукой Денис.— За пять—семь штук баксов я десять переводчиков с иврита найду. Месяц работы. Тем более что переводы-то кое-какие есть, их просто надо к единому стилю свести и комментарии грамотно составить. Ну и список использованной литературы подготовить. Дабы книжка была по-настоящему научной и беспристрастной, и чтобы избежать обвинений в разжигании межнациональной розни... Но это не кардинальное решение вопроса.

— А какое кардинальное? — встрепенулся Ортопед, отвлекшись наконец от своих кровожадных планов по истреблению живущего с ним в одном доме семейства Кацев, один из юных представителей которого учился на раввина и вот уже полгода веселил соседей своим прикидом, состоявшим из длинного черного сюртука и широкополой черной же шляпы. За глаза будущего ребе называли «Зорро без маски».

— Изменение процента по банковским кредитам,— Рыбаков затушил окурок.— Достаточно снизить ставки рефинансирования до пяти и меньше процентов, как еврейскому капиталу в такой стране станет просто неинтересно и он потянется туда, где ростовщичество приносит больший доход... Только это должно быть введено законом, обязательным для исполнения всеми банками. Возьмем, к примеру, Японию или Ближний Восток...

— Возьмем,— кивнул Комбижирик.

— Там процент минимален, а чаще его нет вовсе... И, соответственно, наши «особо избранные» носатокучерявые друзья туда не лезут. Объективно не лезут, им там ловить нечего. Ибо даже те максимальные пять процентов, которые они могут заработать на выдаче кредитов, почти целиком уходят на техническое обслуживание банков и зарплату персоналу, а вкладчику достаются жалкие крохи...

— Блин, неужели все так просто? — удивился Глюк, ненавидящий ростовщиков не меньше своих товарищей.

— Проще не бывает,— Денис зевнул и посмотрел на заходящее солнце.— Только таких действий со стороны нашего правительства мы вряд ли дождемся. «Консультанты» не дадут, любые взятки сунут, чтоб не допустить этого... Они ж ученые!.. В Чили генацвале Пиночет совсем недавно именно так и поступил... Кстати, Мишель, у тебя уже раствор давно готов. Давай-ка за работу. О тонкостях низведения ортодоксальных иудеев мы с тобой сможем позже поговорить...

* * *

Начальник тридцать пятого РОВД подполковник Николай Андреевич Козявкин не предполагал, что день начнется для него с вывихнутой ноги. Он мирно шел себе по лестнице, обдумывая планы на ближайшую неделю и нюансы месячного отчета, и не был готов к тому, что на него сверху упадет хоть и не очень тяжелое, но обладающее большой инерцией костлявое тело старшего лейтенанта Самобытного.

Опер врезался в подполковника на полной скорости, даже не пытаясь затормозить, и вместе с Козявкиным пересчитал ступеньки до площадки первого этажа. Портфель подполковника улетел в одну сторону, фуражка и очки — в другую, а сам он как следует приложился затылком к лестничным перилам и на минуту потерял сознание, что позволило Самобытному удрать в подсобку, где уборщица хранила свой инвентарь. Перепуганный насмерть и сильно пьяный старший лейтенант заклинил дверь шваброй, сел на перевернутое ведро и залился горючими слезами...

Первое, что увидел очнувшийся Козявкин, было мрачное, плохо выбритое и одутловатое лицо оперуполномоченного капитана Опоросова.

И уверенности в завтрашнем дне оно подполковнику совсем не прибавило.

— Что это с вами, Николай Андреич? — спросил капитан, обдав начальника РОВД крутым перегаром.

Если бы где-нибудь проводились конкурсы на мощь «выхлопа после вчерашнего», Опоросов явно занял бы одно из призовых мест.

— Уйди,— тихо попросил Козявкин и посмотрел на свою вывернутую под неестественным углом ногу.— И вызови «скорую»...

— Зачем? — удивился было оперативник, но тут обратил внимание на несколько странно выглядевшую нижнюю конечность подполковника.— Ой! У вас же с ногой что-то!

— Знаю,— начальник РОВД не желал вступать в дискуссию с капитаном или, тем паче, испытывать на себе познания Опоросова в медицине, а особенно — в деле оказания неотложной помощи.— Ты вызовешь врача или нет?!

— Бегу! — Оперативник заметался по маленькой лестничной площадке, наступил на пальцы левой руки стоически промолчавшего подполковника, отпрыгнул, раздавил очки Козявкина, бессмысленно проблеял нечто извиняющееся и выскочил в холл.

«Скорая» приехала довольно быстро, минут через сорок.

К приезду медиков в тридцать пятом РОВД помимо Козявкина образовался еще один пострадавший — капитан Яичко, которого случайно задели ломом по голове в процессе вскрытия шкафа.

Врачи вправили подполковнику ногу и забрали с собой, дабы сделать рентгеновский снимок в близлежащем травмпункте, а замотанного бинтами и потому похожего на спившегося индийского факира Яичко оставили в отделе.

После отъезда начальника немногочисленные остававшиеся на рабочих местах сотрудники решили отметить сие знаменательное событие, заперли входную дверь РОВД, повесив снаружи валявшуюся в дежурке табличку «Переучет», и принялись уничтожать запасы «Hugo Boss», причем без всякой закуски. Под вечер в одном из кабинетов на втором этаже возник пожар. Его долго пытались тушить, таская воду стаканами из туалета в противоположном конце коридора, пока наконец дознаватель с весьма подходящей для своей внешности фамилией Пугало не протянул от крана шланг и не залил пламя струей кипятка. Горячая вода быстро просочилась сквозь деревянные перекрытия вниз до электрощита в подвале, и РОВД погрузился во тьму. Что, впрочем, процессу дегустации польской парфюмерии не помешало.

До глубокой ночи из зияющего черными провалами окон трехэтажного здания райотдела доносились тосты и здравицы в честь сотрудников Министерства внутренних дел и нестройное пение, затихшие лишь часа в три.

А наутро бравые стражи порядка опять попытались встать на защиту законности...

* * *

Глюк убыл первым, получив от Дениса задание купить и доставить к следующему полудню четыре городских скутера.

А сам Рыбаков, Ортопед и Комбижирик после окончания работ по подготовке места будущей операции загрузились в новенький снежно-белый вездеход «Mercedes-Benz G 500» гражданина Грызлова и отправились кружным путем в город.

Минут пять занятый управлением машиной Ортопед молчал, но затем опять вернулся к любимой теме.

— Слышь, Динь,— могучий браток вывел внедорожник с раскисшего проселка на гравийную дорогу и снял одну руку с обтянутой светло-серой перфорированной кожей баранки.— Я вот тут Гоблина попросил мне документы по планам решения «еврейского вопроса» в Германии достать, а он не смог... Говорит, всюду, блин, искал и не нашел. Типа, их вообще нет... Ты не знаешь, где посмотреть можно?

— А нигде,— Рыбаков пожал плечами.— Правильно Димыч говорит.

— Жиды уничтожили? — предположил сообразительный Ортопед.

— Не, Мишель, не жиды,— Денис чуть приоткрыл боковое стекло «мерседеса».— Их просто-напросто никогда не существовало. Сейчас это уже вынуждены признать даже специалисты по проблеме холокоста. Все вопли о планах фюрера по истреблению иудеев — фикция. Послевоенные выдумки...

— Что, нигде даже словечка нет? — огорчился Грызлов, надеявшийся на то, что можно будет почитать первоисточники и выписать оттуда пару полезных цитат.

— Не-а... Есть документы о том, что в Третьем рейхе одобряли сионистское движение и даже помогали расчищать палестинские территории для еврейских поселений, потому и с англичанами на Ближнем Востоке махались. Но вот бумаг о том, что кому-то из руководства тогдашней Германии приходило в голову планировать уничтожение именно пархатых, не существует. Хотя иудеи, в принципе, входили в список «неполноценных рас», генетическое смешение с которыми нежелательно... Вместе со славянами, кавказцами, французами, балканскими народами и прочими «унтерменшами» [1]. Однако «нежелательность» и избирательная зачистка – разные вещи. Спонтанные погромы, конечно, были. Куда ж без них? Тем не менее общегерманского приказа вырезать евреев или набивать ими концлагеря не было... Если б был, то, зная педантичность немцев, сынов Соломоновых ликвидировали бы месяца за три. Всех, подчистую. И не было бы никакого Израиля... А так – мы имеем то, что имеем.

– Жидкам сейчас туго приходится,– общительный и стоящий на аналогичных с Ортопедом позициях Комбижирик поддержал разговор, имея в виду очередные взрывы палестинских террористов-самоубийц в израильских кафе и на дискотеках.

– А что ж ты хотел? – Денис открыл перчаточный ящик и достал запечатанную оранжевую пачку «Camel medium».– У арабов терпение лопнуло. Евреи им всё обещали, что уйдут с оккупированных территорий, но вместо этого стали новые поселения строить, да еще и ужесточать политику по отношению к гастарбайтерам. Палестинцы и не стерпели... Им терять нечего, житуха и так не фонтан, а посредством самоподрыва можно семью на десять лет вперед обеспечить. Родственники камикадзе капусту на следующий день получают, даже если полицейские исполнителя завалят до того момента, как он взорвется.

[1] *Untermensch* – недочеловек *(нем.)*, термин 1934–1945 годов.

— Двадцать штук зеленью — смешные деньги,— заявил Ортопед, весьма осведомленный в вопросах финансирования интифады.— Но ведь и за них, блин, на смерть идут...

— Это для тебя смешные,— возразил Рыбаков.— Там же это целое состояние! Два дома купить можно, машину, и на мебель с едой еще останется. Плюс не забывай о том, что самоубийца тут же становится национальным героем, как и все его родственники...

— На фиг нужен такой героизм,— констатировал Комбижирик.— Жмуру без разницы, герой он или не герой...

— Не скажи, брателло,— не согласился подкованный Михаил.— Для мусульманина посмертный престиж не менее важен, чем при жизни. Вот ты ж, Гоша, тоже, типа, хочешь, чтоб на твоей могиле не крестик какой-нибудь занюханный стоял, а стела гранитная.

— Я туда не тороплюсь,— хмуро отреагировал Георгий.— Мне и здесь неплохо...

— Не, я в общем плане.

— И в общем не хочу. Мне, блин, прыжков на мотоцикле с обрыва хватило...

Денис развеселился, вспомнив прошлогодние приключения двух верных корешей.

Выезд на пикник, в котором приняли участие почти все члены братанского коллектива, сопровождался массой полуспортивных состязаний, ибо Ортопед с Комбижириком прибыли на него не на обычных и даже в чем-то приевшихся внедорожниках, а на спортивных мотоциклах «Kawasaki ZX 12-R Ninja» и «Suzuki GSX-R1000». После обильного полдника с морем разнообразных горячительных напитков было решено слегка расслабиться и погонять на сверкающих разноцветным лаком двухколесных монстрах, способных достигать скорости в сто километров в час всего за две с половиной секунды.

Мотоциклы опробовали все, и почти все остались довольны.

Исключением был Парашютист [1], которого изрядно укачало.

После езды по прямой и «змеек» между деревьями кто-то подбросил в массы удивительную своей новизной идею о том, что достойным финалом выходного дня было бы соревнование между владельцами байков в том, кто из них дальше прыгнет с обрыва в речку. Победитель забирал мотоцикл проигравшего.

Спустя пять минут идея охватила всех собравшихся, и Ортопед с Комбижириком отъехали от обрыва метров на пятьсот, чтобы как следует разогнаться.

Стартовали по очереди.

Жребий прыгать первым выпал Собинову. Браток как следует порычал двигателем, вызывая одобрительные вопли зрителей, пригнулся и понесся навстречу судьбе.

К моменту отрыва колес от твердой поверхности «кавасаки» Комбижирика уже набрал больше ста пятидесяти километров в час, и остановиться браток не мог.

---

[1] *Парашютист* — Константин Рузин.

А зря.

Ибо, пока он готовился к своему историческому прыжку, по реке тихо дрейфовала баржа с углем, оказавшаяся аккурат перед взмывшим с обрыва «спортсменом».

Двести пятнадцать килограммов веса мотоцикла и сто двадцать — Гоши Собинова, помноженные на скорость в сорок два метра в секунду, вызвали эффект попадания в кучу угля крупнокалиберного снаряда. На многие сажени вверх взметнулись куски антрацита, баржа содрогнулась, ее штурман получил инфаркт, а прошедший насквозь Комбижирик вылетел с противоположной стороны кучи уже без мотоцикла и плюхнулся на песчаную отмель.

Ортопед всего этого не видел, ибо его отвлек какой-то местный житель с красным бантом в петлице кургузого пиджачка, приставший с просьбой добросить его до деревни. Добродушный Михаил не стал отказывать аборигену, к тому же припомнив, что инерции движущейся конструкции дополнительный вес не помеха, а вроде как бы даже наоборот, и пригласил тщедушного старичка занять свободное место.

Полет Ортопеда в связи с наличием у него за спиной непредусмотренного правилами соревнований пассажира вызвал не меньший фурор.

Крик аборигена услышали жители всех деревень в радиусе десяти километров, а Миша был дисквалифицирован справедливым Кабанычем, исполнявшим роль рефери. Естественно, после того как сломавшего себе три ребра Ортопеда и лишившегося рассудка председателя районной ячейки КПРФ выковыряли из злополучной кучи угля...

— Да, хорошо тогда отдохнули,— мечтательно произнес Ортопед, чуть притормозил и мигнул дальним светом, сгоняя с дороги огромного лося.

* * *

— Скоро закончите? — промурлыкала верная боевая подруга Дениса, положив мужу голову на плечо и отпихивая ногой развалившегося по центру кровати огромного тигрового боксера.— Ричард, имей совесть!

Боксер тяжело вздохнул, как это умеют делать только большие служебные псы, прогнулся назад, оглянулся на хозяев своими печальными карими глазами и замер в прежней позе, не сдвинувшись ни на миллиметр.

— Ричи! — подал голос хозяин дома.

Пес навострил коротко купированные уши, пару раз вильнул тем, что осталось от хвоста, показывая, что он все слышит, но даже не соизволил поднять голову.

Под одеялом завозилась карликовая пуделиха Даша и попыталась пролезть между Ксенией и Денисом, дабы занять свое законное место на подушке.

— Дарья! — Рыбаков выставил ладонь, преграждая путь серебристому недоразумению на четырех лапах.— Ты пять минут можешь спокойно полежать?

Пуделиха сделала вид, что не расслышала собственное имя, лизнула Дениса в руку и продолжила ползком ввинчиваться между хозяевами.

— Так, меня это достало,— Рыбаков сел, уперся обеими руками в круп посапывающего Ричарда и спихнул того на пол.— Ричи, место!

Боксер недовольно фыркнул и растянулся на полу в метре от кровати, положив тяжелую морду на вытянутые передние лапы. Денис откинулся обратно на подушку, отодвинул свернувшуюся клубком Дашу и обнял жену:

— Отвечаю на твой вопрос. Видимо, послезавтра. Прибавляем денек-другой на подготовку — и можно проводить сделку. Ортопед уже руки потирает, верещит, что так евреев еще никто не наказывал... Я ему сказал, чтобы не забегал вперед. Клиенты хитроседалищные, в последний момент могут все попытаться переиграть.

— Правильно сказал,— сонно пробормотала Ксения.

Глава 2

КИСЛОТНО-СВОЛОЧНОЙ БАЛАНС

> Вчера узбекские хакеры впервые пытались войти в сеть и взломать чей-нибудь сервер.
> Десятерых из одиннадцати входивших убило сразу. 220 вольт — это не шутки...
>
> *Из газеты «Невский братан», 21 марта 2002 года*

В отсутствие подполковника Козявкина руководство бестолковыми сотрудниками тридцать пятого РОВД взял на себя начальник отдела уголовного розыска майор Балаболко, недавно вышедший из психиатрической больницы имени Кащенко, где проходил лечение от белой горячки на специальном, созданном исключительно для работников милиции, прокуратуры и суда, отделении. Отделение это всегда было переполнено, и попасть туда вовремя, до наступления необратимых последствий, считалось большой удачей.

Последний приступ «делириум тременс» [1], в процессе которого начальник ОУРа едва не застрелил

[1] *Делириум тременс* (*лат. delirium tremens*) — галлюцинации и бред при алкогольной интоксикации, белая горячка.

двух своих сослуживцев, принятых им за замаскированных под хомо сапиенсов инопланетных захватчиков-инсектоидов, был у майора девятым по счету за пятнадцать лет работы в органах правопорядка. Но эти достижения не были рекордом даже в масштабе РОВД. Например, дознаватель Землеройко только за истекший год трижды заскакивал на «белого коня», что по усредненным данным значительно перекрывало показатели Балаболко.

Злой и перманентно трезвый майор, который накануне так и не смог прорваться на рабочее место, остановленный запертой дверью с табличкой «Переучет» и облитый кем-то чернилами из окна третьего этажа, в связи с чем был вынужден весь день отмываться в ванной собственной квартиры, устроил страдавшим с похмелья подчиненным грандиозный разнос и представил выстроенным в неровную шеренгу покачивавшимся операм, дознавателям и патрульным лысого и низкорослого терапевта. Доктор, в свою очередь, также выразил недовольство тем фактом, что вчера его не пустили в РОВД, и пообещал подойти к оценке физического состояния милиционеров совершенно беспристрастно, что могло привести к массовому увольнению сотрудников по причине наличия у большинства из них цирроза печени, синдрома умственной отсталости и иных сильных алкоголических и психологических изменений в организмах.

Понявший, чем это грозит, Балаболко попросил медика не перегибать палку и признать годными всех, намекнув на то, что правильные диагнозы в карточках будут щедро оплачены.

Доктор для вида немного поупирался, зачем-то вспомнил о «клятве Гиппократа», но быстро сдался и позволил проводить себя в выделенный под смотровую отдельный кабинет. Майор свистнул трех наиболее крепких пэпэсников и приказал им устроить шмон на местном вещевом рынке, добыв для врача минимум пять тысяч рублей и десяток бутылок коньяку.

На входную дверь РОВД опять была водружена табличка «Переучет», а имевшиеся в наличии сотрудники расселись на стульях в порядке живой очереди вдоль коридора под бдительным оком назначенного ответственным за соблюдение порядка командира взвода ППС Пасюка.

* * *

— Ого! — Денис огладил ладонью ребристый бок темно-серого пластмассового цилиндра, лежавшего на дне коробки с электронным оборудованием, доставленного Пашей Кузьмичевым по кличке Мизинчик.— Что это? Объемный датчик?

— Не,— выдохнул Паниковский [1], выволакивая из багажного отсека зеленого «Range Rover 4.0 HSE» плоский деревянный ящик.— Это мина. Штатовская. Мы таких сорок штук привезли...

— Прыгающая? — деловито осведомился Ортопед, вскрывая очередную коробку.

— Угу,— Мизинчик захлопнул дверь своего внедорожника.— С дистанционным управлением. Пока

[1] *Паниковский* — Алексей Клдиашвили.

кнопочку на пульте не нажмешь, на боевой взвод не встанет... Там маленькая такая антенна есть, видишь?

— Точно, есть! — радостно сказал Грызлов, повертев в руках цилиндр, и коснулся пальцем трехсантиметрового тонкого штырька.— Зеленая, как травинка...

— Вот она только и торчит из земли,— сообщил Мизинчик.— Со стороны вообще незаметна.

— Хорошая вещь,— оценил Ортопед.— И сколько отгрузили?

— По полтонны за каждую,— покачал головой Паниковский.

— Дороговато,— заметил Садист [1].

— Вы что, сдурели тут в одночасье? — наконец вмешался Рыбаков.— Зачем нам мины?

— Как же без них? — изрек Мизинчик.— Периметр обставим, ни одна тварь не пройдет.

— А если эти самые твари на машинах поедут? — язвительно спросил Денис.— Мины-то противопехотные...

— Верно! — сообразил Паниковский.— Надо было противотанковые еще брать.

— Возьмем, не вопрос,— Мизинчик пожал широченными плечами.— Хоть, блин, противокорабельные.

Рыбаков тяжело вздохнул и сел на еще не распечатанную коробку.

Тяга братков к превращению любого мероприятия в крупно- или мелкомасштабную боевую операцию была неистребима.

---

[1] *Садист* — Олег Левашов.

То Армагеддонец[1] пальнет из гранатомета «Муха» по будочке инструментального контроля Госавтоинспекции за то, что те из свойственной ментозаврам жадности слишком долго проверяли тормозную систему его джипа, пытаясь найти хоть какую-нибудь зацепку и по-легкому срубить деньжат с торопящегося по своим делам братана; то Сережа Александров по кличке Тулип, полученной за случившуюся на заре юности драку со взводом ОМОНа в цветочных рядах Сытного рынка, из которой Тулип вышел победителем, установит в кузове пикапа крупнокалиберный пулемет НСВ «Утес» и польет очередями ряды ларьков у метро, в одном из которых ему подсунули пиво «Сибирская корона» с истекшим сроком годности, что привело к трехдневному запою; то Парашютист, словно в оправдание своего прозвища, имеющего некоторое отношение к авиации, наймет прогулочный вертолет, загрузит в него пару тяжелых сумок, прикажет подлететь к определенному дому в элитном поселке и начнет через приоткрытую боковую дверь бросать вниз извлекаемые из сумок бомбочки со слезоточивым газом, радостно наблюдая за мечущимся по своему участку жадюгой-банкиром, отказавшим достойному пацану в безвозвратном кредите; то радостный Нефтяник, купивший по случаю весьма актуальную в Питере амфибию «Фокс» с неснятым вооружением и полным боезапасом, выедет на ней в белые ночи на Стрелку Васильевского острова, протаранит несущиеся на пе-

[1] *Армагеддонец* – Василий Могильный.

рехват милицейские машины да уплывет куда-нибудь в сторону Петропавловской крепости, пугая мечущихся по набережной «людей в сером» [1] очень одиночными и неприцельными выстрелами из пушки...

— Так не пойдет,— Денис грозно посмотрел на Паниковского, любовно поглаживавшего ребристый бок изделия американских мастеров.— Мины верните на базу. Взрывчатки тут и без вас достаточно...

— Но...— попытался возразить Мизинчик.

— Никаких «но»! — жестко произнес Рыбаков.— Договаривались же, что сработаем чисто... А ваша инициатива приведет к тому, что мы все окрестности трупами завалим. Мишель, не скалься! — Денис погрозил кулаком заулыбавшемуся Ортопеду.— Помимо столь милых твоему большому и доброму сердцу иудейских трупов может образоваться некоторое количество покойников из числа местных жителей... Нам это надо?

— Не надо,— согласился Садист.

— Вот видите...

— Ну, блин, а если попрут как тараканы? — Ортопед попытался отстоять запавшую ему глубоко в душу идею о минировании подходов к месту будущей сделки.

— Кто попрет? — язвительно спросил Рыбаков.

— Жиды...

— Здесь тебе не Израиль,— Денис намеренно поставил ударение на второе «и»,— тута жидов в большом количестве не водится... Максимум при-

---

[1] *Люди в сером* — сотрудники МВД *(жарг.)*.

едет с десяток обрезанных особей. А их мы и так нейтрализуем. Тебя одного хватит...

— Они с мусорами пытаются договориться,— сообщил Мизинчик, все же пытаясь найти оправдание планам по минированию местности.

— Мы это предполагали,— спокойно отреагировал Рыбаков.

— Ну, это...— Кузьмичев почесал пятерней в затылке.— Вот мы и решили, блин, подготовиться достойно.

— То есть — провести операцию под кодовым наименованием «Смерть легавым и пейсатым»? — язвительно осведомился Денис.— Или мы все же денежку рашили срубить?

— Денежку,— печально согласился Ортопед.

— Ну, вот и хорошо,— Рыбаков потер руки.— А захочешь отдохнуть, Мишель, съезди в Палестину. Там как раз заваруха очередная начинается, такие, как ты, будут сильно востребованы... Бери Циолковского — и вперед. У него ж там, если память мне не изменяет, дружбаны в Хамазе?

Ортопед обречено кивнул.

Андрей Королев по кличке Циолковский действительно имел обширные связи с ближневосточными террористами, причем связи эти никак не были связаны с коммерческой деятельностью или поддержкой Циолковским палестинской интифады и иных народно-освободительных движений. Просто Королеву сильно везло на знакомства с бородатыми резкими парнями из боевых ячеек «Мучеников Аль-Аксы», Хезболлаха, «Черного сентября» и других аналогичных организаций. Будучи за границей, Циолковский вечно влипал в истории, то оказываясь втянутым в какую-нибудь антиизраильскую манифестацию, заканчивающуюся непременной дракой с местной полицией, то забредая в арабский кабачок именно в тот момент, когда там собирали самодельную бомбу, то сидючи в одной камере с задержанными по подозрению в подготовке теракта палестинскими или баскскими боевиками.

В Королеве члены террористических организаций почему-то сразу чувствовали родственную душу и проникались большой симпатией к широкоплечему бугаю, даже не пытаясь проверить на «вшивость» своего нового друга.

И Циолковский оправдывал возлагавшиеся на него надежды, голыми руками разбрасывая пятокдругой полицаев, в одиночку переворачивая патрульные машины и самоосвобождаясь из участков методом жесткого прорыва к выходу с параллельным выбиванием дверей других камер.

— Вот с ним и развеешься,— резюмировал Денис.— А нам дело надо делать...

* * *

Опоросов попал к «Пилюлькину» лишь после четырех часов томительного ожидания.

Терапевт окинул взглядом долговязого и смурного стража порядка, быстренько заполнил несколько пустующих граф в карточке капитана, расспросил опера о жалобах на здоровье, получил маловразумительные ответы о плохом самочувствии по утрам и участившихся в последнее время ночных кошмарах, в которых Геннадия Андреевича выгоняли из милиции и в принудительном порядке отправляли работать учеником слесаря на Кировский завод, похмыкал, покачал головой, порекомендовал меньше сидеть в душном помещении, а побольше гулять. После этого еще раз, не вставая из-за стола, доктор внимательно осмотрел развалившегося перед ним на стуле Опоросова с ног до головы, порылся в потертой кожаной сумке и извлек из нее три упаковки маленьких разноцветных таблеток.

— Вот эти, синенькие, съедайте по одной перед завтраком и запивайте как можно большим количеством воды. Не меньше двух стаканов,— врач положил на край стола первую упаковку.— Эти, желтенькие,— по одной перед обедом и тоже запивайте как можно большим количеством воды. Понятно?

— Понятно,— промычал капитан, покрываясь противным липким потом.

— И эти, красненькие, принимайте по одной перед ужином и тоже запивайте большим количеством воды. Литр осилите?

— Осилю,— просипел Опоросов.

— Ну вот и славно,— терапевт подвинул таблетки поближе к оперу.— Берите.

— Доктор, у меня что-то серьезное? — обреченно спросил капитан.

— У вас обезвоживание организма... Идите и пригласите следующего.

* * *

По пятнадцатидюймовому жидкокристаллическому экрану переносного телевизора, стоявшего на откинутом заднем борту бордового внедорожника «Cadillac Escalade», пробежал рисованный зеленый динозаврик с кульком фруктовых конфет в передних лапах. После музыкальной заставки закадровый голос бодро затараторил рекламный текст: «Сначала веселый жевастик сжевал все шины, потом — все машины! А затем его поймали таксисты и выбили монтировкой все зубы. Веселый сосастик: сосать — не пересосать! Покупайте фруктовые конфеты „Сосун“!»

— На Чайковского один опер работает,— вспомнил Садист, поворачиваясь к погруженному в какие-то расчеты Денису.— У него отчество — Сосунович. Фамилия — Плодожоров, а зовут... блин, как его зовут?..

— Он крепче водки «Абсолют»! Скажите, как его зовут? — на мотив песенки из фильма «Приключения Буратино» пропел Паниковский.

— Захар его зовут! — вспомнил Левашов.— Захар, блин!

— Он что, арестовывал тебя? — Рыбаков на секунду отвлекся от расчета времени отхода с места операции до точки, где участников «коммерческой сделки» будет ждать катер.

— Не,— Садист покачал головой.— Просто вспомнил... Его по телеку показывали. Интервью давал. Типа, крутой борец с преступностью...

— А, ясно,— Денис опять погрузился в вычисления.

Но спокойно прикинуть цифры ему опять не дали.

— Ух ты! — прогудел Мизинчик, читавший обрывок какой-то газеты.— Никогда б, блин, не подумал...

— Что не подумал? — поинтересовался Садист.

— Про слонов...

— А чо там?

— Вот,— Кузьмичев разгладил четвертушку бумаги.— Статья...

— Ну так зачитай,— попросил Ортопед, закончивший красить перила крыльца в розовый цвет.

— Бытует мнение, что слоны — это крупные и неповоротливые животные,— размеренно начал Мизинчик, водя указательным пальцем по строчкам.— И это правда. Слон в одиночку может раздавить десятилитровую бутыль водки и не заметить... Слоны, как и все мы, не любят работать, а любят поесть, поспать и поразмножаться...

Рыбаков оторвался от своего блокнота и удивленно поднял брови.

— Это доказывает, что слоны — разумные и продвинутые существа,— браток придержал начавший загибаться уголок газетного обрывка.— Видимо, именно поэтому они легко поддаются дрессировке. Слоны бегают за брошенными дрессировщиком бревнами, переступают через барьеры и подают хобот хозяину. Слоны – прирожденные вседорожники с четырьмя ведущими ногами... Чтобы российский читатель мог полнее оценить пользу, приносимую слонами человеку, сообщаем, что один слон способен заменить десяток крепких и расторопных лениных на коммунистическом субботнике...

Мизинчик закурил, не отрываясь от статьи.

Денис откинулся на спинку раскладного стула.

– Слон – он и в Африке слон,– заунывно продолжил чтец-декламатор.– К сожалению, их там осталось не так много. Вернее, совсем немного. Дело в том, что в недалеком прошлом их варварски уничтожали из-за маленьких смешных хвостиков, которые среди апологетов народной зулусской медицины считались лучшим средством от импотенции. Если хорошенько высушить и покрепче привязать. Многих слонов также истребили ради ценного подмышечного меха, шедшего на манто и воротники. Кроме того, из шкуры слона получается практически непротираемый ногами посетителей прекрасный серый морщинистый ковер для приемных официальных учреждений и крепкие морщинистые куртки, в которых очень удобно прятаться среди валунов...

– О как! – оценил Ортопед.

– И не говори,– поддержал Рыбаков.

– Слон – это сильное и бесстрашное животное,– Мизинчик не обратил внимания на реплики слушателей.– Своим длинным и мощным хоботом он может дать в ухо кому угодно, даже грозе листвы жирафу. Для человека укус слона смертелен, как и пендель... Но вот друг к другу,– браток расплылся в доброй улыбке,— эти зверушки относятся нежно и трогательно. Часто слоны приходят на выручку своим сородичам и специально предназначенными для взаимопомощи бивнями выковыривают у них застрявшие между зубами коренья, поленья и остатки носорогов, коими взрослые самцы питаются в засушливый период. Кроме хобота и бивней, трудно представить слона без ушей. В холодное время суток слон аккуратно сворачивает уши в трубочку, а жарким днем они всегда распускаются и используются на манер веера. Именно по этой причине слоны весьма высоко ценились во дворцах персидских и арабских правителей и в их гаремах. Поставленные в четырех углах комнаты и активно машущие ушами слоны способны вызвать небольшой ураган... Что же касается шерсти, то ученые из Института слонопатологии и слонопатии насчитали на теле упитанного слона более ста тысяч волосков, но лишь часть из них предназначена для обогрева этой огромной туши. Подавляющее число волосков располагается на коже животного просто так, для красоты, что проверено экспериментально. Бритый налысо слон почти не мерзнет, но отворачивается от зеркала и грустит. Где у слона находятся эрогенные зоны, ученым выяснить не удалось, ибо он, зараза, пинается и уходит... Вот,— верзила аккуратно сложил обрывок газеты и засунул себе в нагрудный карман рубашки.

— Хорошая статья,— серьезно сказал Денис.

— Сыну дам,— кивнул Мизинчик.— Пусть малец развивается...

* * *

Упомянутый досточтимым Садистом майор милиции Захар Сосунович Плодожоров принципиально ничем особым не отличался от остальных работников учреждения на улице Чайковского и был усредненно туповатым, корыстолюбивым и склонным к запоям низкорослым типом с мутными серыми глазками и покрытыми красными цыпками загребущими ручонками.

В органах российского правопорядка, занимающихся в основном не охраной граждан, а повышением материального благосостояния отдельно взятых сотрудников, фальсификацией доказательств по уголовным делам и борьбой за «процент раскрываемости», оперативники типа Плодожорова были востребованы и удачно вписывались в любой ментовский коллектив. Захар всегда вовремя сдавал квартальные и месячные отчеты, широко проставлялся в праздничные даты, умел без синяков отдубасить подозреваемого и не жадничал, если речь заходила о подношении начальству.

Но особенно Захар Сосунович старался отличиться в тех делах, где речь заходила о том, чтобы потрафить руководству.

Как, например, в деле полковника Быстренкова...

Владлен Марксенович Быстренков служил в тогда еще называвшимся не ОРБ, а Региональном управлении по борьбе с организованной преступностью и коррупцией заместителем начальника по работе с личным составом, где не упускал возможности «развести» неприятные задержанным бизнесменам ситуации и развалить некоторые уголовные дела. Он даже иногда выступал в роли посредника в делах о похищениях людей, тихонько уговаривая родственников потерпевших заплатить часть выкупа и тем самым облегчить участь заложника.

Естественно, все это делалось за долю малую, в результате чего за пять лет «беспорочной службы» Быстренков обзавелся трехэтажными кирпичными хоромами с гаражом на пять машин и двумя «мерседесами» стоимостью под шестьдесят тысяч долларов каждый, записанными на имя жены и тещи.

Полковнику активно помогал прокурор Приморского района с замечательной фамилией Баклушко, полностью характеризующей его отношение к служебным обязанностям. Эта парочка проявляла рвение только тогда, когда чувствовала запах легких денег или когда их совместный бизнес оказывался под угрозой.

Неизвестный мститель вмешался в дела Быстренкова и Баклушко в самый неподходящий момент.

Случайный знакомый мстителя, как удалось узнать позже, приходился троюродным братом одному из похищенных. А этот похищенный оказался человеком очень наблюдательным. Когда его держали во временно снятой квартире на окраине города, он заметил через прореху в занавеске, как старший из похитителей передавал подъехавшему к дому представительному мужчине какой-то конверт. После выплаты выкупа и освобождения экс-заложник, как и положено, был допрошен злыми оперативниками РУБОПиКа, упустившими, как водится, банду в полном составе. На их долю достались лишь фотороботы подозреваемых, странно смахивающие на семейку Симпсонов. А в коридоре особнячка на улице Чайковского потерпевший нос к носу столкнулся с тем самым мужчиной, что получал из рук главаря похитителей конверт.

Наученный горьким опытом, экс-пленник не стал бросаться на соучастника похищения с кулаками и никак не проявил своей осведомленности. Он лишь вскользь поинтересовался у сопровождавшего его дознавателя, не бывшего ли вице-губернатора Потехина они только что встретили. Занятый своими мыслями дознаватель пробормотал, что это был заместитель начальника РУБОПиКа полковник Быстренков, и сунулся в очередной кабинет в надежде найти свободные стол и два стула.

И через неделю у Быстренкова начались неприятности.

Для начала сгорел стоивший всего каких-то шестнадцать с половиной тысяч долларов ярко-красный седан «Nissan Almera», на котором полковник скромно приезжал на работу.

Автомобиль вспыхнул ровно в полдень, при большом стечении зрителей, и превратился в обугленный остов меньше чем за три минуты. Внимательный просмотр полковником записей с видеокамер, установленных на фронтоне здания РУБОПиКа, ничего не дал. Мимо машины прошли сотни людей и ни один из них «ниссана» не касался. Только какой-то старик уронил авоську с пластиковыми бутылками, проходя между «алмерой»

Быстренкова и черным лимузином «Volvo S90 Royal», на котором возили поджарого и стройного, но ленивого и трусливого начальника регионального управления. Бородатый дедушка быстро собрал свой скарб и удалился, опираясь на палку и едва передвигая ноги. Подозревать его в совершении поджога полковник не стал.

Как оказалось – зря.

Ибо «старикашкой» был переодетый и загримированный Владислав Рокотов[1], закативший под днище «ниссана» полуторалитровую бутылку с чистейшим авиационным керосином, внутри которой болтались пятьдесят граммов порошка марганцовки, герметично упакованные в три презерватива. За тридцать минут керосин проел резину, марганцовка вступила в реакцию с горючим, произошло возгорание, тонкий пластик бутылки расплавился в две секунды, и под днищем японского седана растеклась полыхающая лужа.

Еще через неделю, когда Быстренков решил навестить знакомую проститутку и совместить работу с осведомительницей и сексуальное удовлетворение, случилась очередная подлянка.

Некто, встретивший полковника в темном подъезде, молча дал офицеру в глаз и по шее, забрал у него удостоверение и пистолет, приковал Быстренкова его же собственными наручниками к перилам,

---

[1] См. романы Д. Черкасова «Ночь над Сербией», «Балканский тигр», «Косово поле: Балканы», «Косово поле: Россия», «Последний солдат президента», «Белорусский набат», «Крестом и булатом. Вторжение» и «Крестом и булатом. Атака» *(прим. редакции)*.

напихал в карманы полковничьих штанов десяток «чеков» с качественным неразведенным героином и бросил рядом паспорт на имя гражданина Грузии Ираклия Баранишвили, куда была вклеена фотография суровой и немного испитой физиономии замначальника РУБОПиКа.

Приехавшие по анонимному вызову сотрудники местной милиции обнаружили обездвиженного Владлена Марксеновича, провели осмотр бесчувственного тела и нашли наркоту. После этого полковника загрузили в «собачник» УАЗа, доставили в отдел, облили грязной водой из ведра и стали колотить дубинками, требуя от «Ираклия Баранишвили» чистосердечного признания в торговле запрещенным зельем и выдачи поставщиков.

Не для того, разумеется, чтобы перекрыть каналы поставки наркотиков, а дабы объяснить сунувшемуся на чужую территорию дилеру неправильность его поведения и предложить взаимовыгодное сотрудничество.

Веселье продолжалось часа три.

На все вопли Быстренкова о том, что он-де является не «вонючим грызуном», как его именовали допрашивавшие, а заместителем начальника РУБОПиКа по работе с личным составом, бравые стражи порядка цинично ухмылялись, хвалили Владлена Марксеновича за то, что он говорит без акцента, и добавляли излишне болтливому задержанному по башке и по почкам. Конец допросу положил один из оперов уголовного розыска, заглянувший на шум и узревший загнанного под стол полковника, которого пинал тяжелыми кирзовыми сапогами раздухарившийся сержант из патрульно-постовой службы, помогавший коллегам получить «признанку».

Быстренков отлежался дома и сопоставил два происшествия. По всему выходило, что некто начал на него самую настоящую охоту. Полковник позвонил Баклушко, вкратце обрисовал сложившуюся ситуацию, назначил встречу и бестолково прождал «коллегу» почти два часа, выпив три чашки отвратительного кофе в столовой недалеко от места работы подельника.

Прокурор на встречу не явился.

Быстренков предположил, что славящийся своей трусостью Андрей Викторович Баклушко решил переждать, когда все уляжется. Полковника это совсем не устраивало, и он, раздраженный поведением прокурора, направил стопы прямо к нему в кабинет. Однако разговор не состоялся, так как выяснилось, что Андрея Викторовича за час до визита Быстренкова забрала «скорая».

Происшедшее с Баклушко было одновременно и смешным, и зело поучительным.

Потерявшего сознание районного надзирателя за законностью обнаружили сидящим за столом с расстегнутой ширинкой, засунутой в трусы левой рукой и полиэтиленовым пакетом на голове. Перед ним были живописно разбросаны цветные картинки весьма откровенного содержания, взятые с бесплатных порносайтов и посвященные «голубой» теме. Со стороны казалось, что блюститель закона захотел усилить ощущения и применил способ легкого самоудушения, но не рассчитал силы и в кульминационный момент отключился.

Быстренков провел блиц-расследование и выяснил, что в кабинет к Баклушко заходил какой-то посетитель, представившийся корреспондентом газеты «Секретный советчикъ», известной своей угодливо-лояльной позицией по отношению к властным структурам, как к городским, так и к федеральным. Пробыл он там от силы минут десять, а еще через четверть часа неизвестный абонент позвонил помощнику районного прокурора и ехидно порекомендовал проверить, все ли с Баклушко в порядке.

Быстренков впал в тихую панику и добился того, чтобы оперативное сопровождение расследования происшедшего в прокуратуре поручили РУБОПиКу, представив сие двусмысленное дельце как выдающееся по своему цинизму покушение на жизнь должностного лица при исполнении последним своих служебных обязанностей.

Поручили сие сопровождение отделу, где трудился Плодожоров.

Захар Сосунович с невиданным дотоле энтузиазмом взялся за дело, сильно подуплил всех вызванных в качестве свидетелей родственников экс-потерпевшего по делу о похищении и от одного из них узнал, что история о соучастии Быстренкова в совершенном преступлении была рассказана в кабаке неизвестному молодому человеку с внимательными глазами, который в финале разговора заметил, что скоро-де у полковника и прикрывающего его «синего» [1] будут «ба-а-льшие проблемы в личной жизни». Фоторо-

[1] *Синий* – работник прокуратуры *(жарг.)*.

бот подозреваемого, сильно похожий на портрет действующего президента страны в молодости, был предъявлен Владлену Марксеновичу.

Быстренков похвалил Плодожорова за проявленную оперативность и начал думать, что же делать дальше, мысленно не забыв поставить против фамилии Захара жирный плюс, отметив тем самым его лояльность к начальству.

Оперативник же, получивший чин майора благодаря рекомендациям Быстренкова, с головой ушел в свои дела, обещавшие ему неплохую добавку к нищенскому жалованию, и за год сменил двухкомнатную квартиру на четырехкомнатную, а подержанную «Scoda Octavia» на новенькую «Honda Accord».

Когда новый министр внутренних дел принял решение о переименовании РУБОПиКа в Оперативно-розыскное бюро, в связи с чем всех его сотрудников сначала выводили за штат, а затем принимали «в ряды» по новой, отсеивая недостаточно лояльных или замеченных в неблаговидных поступках, Плодожоров перепугался и бросился к Быстренкову с просьбой посодействовать в том, чтобы Захара Сосуновича взяли из-за штата обратно. Полковник успокоил немного нервного майора и пообещал лично походатайствовать за того перед свеженазначенным начальником ОРБ полковником Мамукой Константиновичем Сусликовым.

Так и произошло.

Владлен Марксенович устроил небольшой банкет в расположенном недалеко от особнячка на Чайковского кабачке, сильно подпоил Сусликова и подсунул тому на подпись список сотрудников, коих следовало незамедлительно принять обратно в штат. Перечень венчала фамилия самого Быстренкова, а замыкал его майор Плодожоров. Пьяненький Сусликов подмахнул бумагу, а уже на следующий день Захар Сосунович вздохнул с облегчением. И передал Владлену Марксеновичу конверт, в котором лежали тридцать новеньких стодолларовых купюр...

Плодожоров посмотрел на часы, отметил про себя, что до встречи с вышедшим на него через посредничество Быстренкова «нужным человеком» осталось еще полчаса, и решил немного поработать, отправив по факсу в один из банков грозную бумагу, в которой было высказано требование проверить счета нескольких лиц, подозреваемых в отмывке «грязных» денег.

Майор по памяти набрал номер, вставил лист в приемную щель факса, дождался ответного «алё» и резко бросил в трубку:

— Стартуйте!

Но вместо пиликания включившегося факсимильного аппарата грубый мужской голос изрек:

— Щас, с низкого, блин, старта! Ты куда звонишь, чувырло?!

Плодожоров испуганно бросил трубку, вперился глазками в мигающий семизначный номер, высветившийся на маленьком экранчике умного электронного аппарата фирмы «Panasonic», и сравнил цифры с записанными на страничке ежедневника.

Ничего общего.

Майор покопался в своей памяти и понял, что вместо банка набрал номер мобильного телефона известного питерского авторитета по кличке Барракуда.

Сие было некстати.

Барракуду пасли всем отделом, надеясь прихватить на чем-нибудь противозаконном, а звонок Захара Сосуновича ставил под угрозу слива в унитаз всю проведенную работу. Ибо авторитет был далеко не дурак, и ему не составляло никакого труда быстро пробить номер телефона, с которого ему случайно позвонили на мобильник, и затихариться.

Плодожоров загрустил, хлопнул полстакана коньяку, но спустя две минуты махнул на все рукой. Так или иначе, операция по изобличению Барракуды не обещала майору никаких финансовых поступлений, поэтому на нее можно было и заколотить.

А ближайшая встреча с коммерсантом из фирмы «Семисвечник» и их израильскими партнерами представлялась куда более важной...

* * *

Генеральный директор торгово-закупочной фирмы «Семисвечник» Абрам Мульевич Кугельман, так же как и Плодожоров, с нетерпением ждал назначенного рандеву.

Дела у коммерсанта шли ни шатко ни валко, но на жизнь хватало.

Абрам Мульевич сидел на приносящей постоянный доход теме моторных масел, присадок, полиролей и мовилей, коими торговал в десятке ларьков на трех промтоварных рынках и имел свои двадцать пять—тридцать тысяч шекелей чистого дохода в месяц. Конкуренция в этой сфере бизнеса была довольно высока, наценку на товар приходилось ставить минимальную, что не могло не царапать душу Кугельмана костистой лапой праведного возмущения такими условиями ведения дел.

В начале перестройки и «обизнесменивания» великой страны Абрам немного лоханулся и слишком поздно ушел из НИИ радиоэлектроники в коммерцию, когда все по-настоящему сладкие местечки были уже разобраны. Его бывшие коллеги пристроились в банки, топливно-энергетические компании и в посреднические конторы при металлургических комбинатах, оставив таким нерасторопным евреям, как Кугельман, жалкие ошметки в виде сферы услуг и продовольственного рынка, на которых к тому же царило жестокое противостояние, грохотали автоматные очереди и кого-то постоянно выносили вперед ногами.

Конечно, мочили и нефтяных или металлических баронов, но там крутились такие большие деньги, что вор мог себе позволить обзавестись тремя кольцами охраны, парком бронированных автомобилей и даже двойниками, что резко уменьшало шансы успешного покушения.

Поняв, что его практически «кинули» его же обрезанные соплеменники, Абрам Мульевич не очень-то и удивился, поводил по сторонам своим крупногабаритным носом и занялся обеспечением нужд автолюбителей, параллельно прикидывая, где он может хапнуть по-настоящему много и быстро.

Сначала от планов мгновенного обогащения Кугельмана отвлекли бритоголовые, повадившиеся бить как стекла в принадлежавших «Семисвечнику» ларьках, так и самого генерального директора. Абрама Мульевича молча плющили раз в месяц в течение почти полутора лет. Районные милиционеры разводили руками и ничего, естественно, не делали. Кугельман при каждой встрече со скинхедами пытался выяснить, за что его дубасят, но те тактично уходили от ответа и просто пинали бизнесмена тяжелыми армейскими башмаками, невразумительно бормоча: «Чемодан, вокзал, Израиль...»

Наконец Абраму Мульевичу надоело ходить в синяках, и он инициативно вышел на районного лидера бритоголовых, предложив отступные в размере двухсот долларов в месяц, лишь бы его не трогали. Местный фюрер долго не мог понять, что ж от него хочет украшенный сочным фуфлом под левым глазом «пархатый», и даже хотел самолично отлупить иудея, опрометчиво сунувшегося в украшенный символикой Третьего рейха подвал и усевшегося на стул перед портретом гражданина Шикльгрубера. Но упоминание об отступных охладило боевой пыл неонациста, и он принялся торговаться с Кугельманом, со старта наложив на бизнесмена дань в тысячу полновесных баксов за каждые тридцать дней спокойной жизни.

Часа полтора Абрам Мульевич заламывал руки и кричал о том, что он-де беден как церковная крыса и что тысяча долларов отступных станут для него разорением. Но при этом он не мог не отдать должное коммерческой жилке местного фюрера и даже поинтересовался у собеседника, нет ли у того примеси еврейской крови, за что получил фингал под второй глаз.

В конце концов высокие договаривавшиеся стороны сошлись на четырехстах пятидесяти зеленых в месяц и дополнительной выплате Кугельманом трехсот долларов к двадцатому апреля каждого года. Коммерсант заплатил первый взнос и целый месяц ходил спокойно, вежливо раскланиваясь с бродившими по району стайками бритоголовых, делавших вид, что они в упор не видят кучерявого иудея.

Однако к моменту выплаты второго взноса Абрама Мульевича стала душить жаба, и он опрометчиво задержал выдачу денег на один день. В тот же вечер его встретили у подъезда три ярко выраженных славянина и один не менее ярко выраженный татарин, избили до синевы и порекомендовали более не нарушать финансовой договоренности.

Кугельман внял и с тех пор платил не то что вовремя, а заранее.

Вторым чувствительным ударом по гендиректору «Семисвечника» стал дефолт в августе тысяча девятьсот девяносто восьмого года, когда Абрам Мульевич потерял больше половины своих накоплений, лежавших на семнадцати счетах в Сбербанке. Хитрое государство, взявшее на вооружение именно иудейские принципы взаимоотношений с гоями-гражданами, красиво «обуло» вкладчиков и показало им жирную дулю, когда те попытались было вернуть свои денежки.

Кугельман разъярился, нахамил налоговой инспектрисе, отказался платить за лицензию на торговлю, дорожный сбор и обязательную взятку налоговичке, мотивировав свой отказ поведением правительства, и чуть было тем самым не похоронил свой бизнес, когда на следующий день к нему в офис прискакали гарные хлопцы со Второй Советской улицы. Ребятки цинично вырезали автогеном незапертую стальную дверь, привязанным к бамперу грузовика тросом сорвали решетки с окон, дали в морду всем сотрудникам мужского пола и принялись изымать документы, оргтехнику и мебель.

В общем, хамское поведение Абрама Мульевича стоило ему дополнительных пяти тысяч долларов штрафов и взяток и девятисот бакинских за косметический ремонт помещения, стены которого наглецы в масках украсили перечеркнутыми крест-накрест звездами Давида и надписями «Да здравствует Ясир Арафат!»

Бизнесмен стоически перенес очередные удары судьбы, решил более не вступать в конфликты как с властными, так и с националистическими структурами и принялся по-тихому искать источник легких и больших денег, дабы, единожды срубив хорошую капусту, удалиться на покой куда-нибудь в альпийскую деревеньку и зажить на ренту.

Случай не заставил себя ждать.

Начальница отдела рекламы «Семисвечника», дородная Циля Моисеевна Ступор, познакомила Кугельмана с приехавшим на несколько дней из Биробиджана своим племянником Иудой Пейсиковым. Юный родственник вскользь обмолвился о большой заинтересованности знакомых ему патриотов «земли обетованной» в приобретении материалов для производства ядерного оружия или, что было бы идеальным, атомного фугаса как такового для проведения диверсии где-нибудь в Ливане, Сирии или Иордании, после чего Израиль мог с легким сердцем аннексировать еще сотню-другую тысяч квадратных километров чужих территорий, мотивируя захват земель необходимостью защититься от ядерного терроризма.

Абрам Мульевич понял, что ему выпал шанс.

Договорившись с Пейсиковым о способах связи и условных фразах, Кугельман развил бешеную деятельность по выходу на тех людей, которые могли бы достать требуемое. Спустя весьма непродолжительное время вступил в контакт с неким молодым человеком, трудившимся старшим лаборантом в суперзасекреченной лаборатории и за крупную сумму в американской валюте согласившимся стырить со склада переносное ядерное устройство мощностью в пятьдесят килотонн...

Глава 3

И НА РУИНАХ «DAIMLER-CHRYSLER» НАПИШУТ НАШИ ИМЕНА...

Психую. Круг друзей мал...

Из автобиографии капитана милиции Пятачкова А. С., ОУР 35 РОВД СПб

Идиотизм Кугельмана со товарищи, считавших хищение и перепродажу малогабаритной плутониевой бомбы нормальной и вполне осуществимой коммерческой сделкой, сильно потряс Дениса Рыбакова, вышедшего на Абрама Мульевича через длинную цепочку посредников и представившегося тем самым корыстолюбивым старшим лаборантом, готовым за два миллиона долларов вынести с охраняемой территории изделие с нежным названием «Абрикосик». Впрочем, на жаргоне, принятом в среде ученых-ядерщиков, оно именовалось не иначе как «Холокостиком».

Такой вот черный юморок, особенно если учесть иудейское происхождение большей части тех самых ученых.

Вполне понятно, что к осуществлению акта купли-продажи следовало хорошо подготовиться, чем Денис и группа его единомышленников, возглавляемая неутомимым «жидоборцем» Ортопедом, занимались вот уже в течение двух недель.

На «левый» паспорт был арендован хлипкий загородный домик с фанерными стенами и безо всякого фундамента, расположенный на окраине садоводства «Ленэнерго» в деревне Лосевка, прорыт тоннель до длинного, уходящего в озеро по соседству водостока, куплен и поставлен у наспех сколоченного причала катер. «Жилище лаборанта» подверглось серьезной перепланировке и перестройке, местность вокруг домика нашпиговали следящей аппаратурой и оборудовали места засад.

Гугуцэ, Садист и Ди-Ди Севен [1] пристреляли восемь винтовок SG 510-4, купленных ими по случаю со складов конфискованного милицией имущества у проворовавшегося прапорщика и предназначенных для вооружения групп прикрытия под командованием Эдисона [2], Тихого [3] и Паниковского. Пристрелка на полигоне близлежащей воинской части закончилась попаданием в ягодицу сельского участкового трассирующей пули и компенсацией несчастному пасечнику [4] в размере десяти ящиков

[1] *Ди-Ди Севен* — Константин Белкин.
[2] *Эдисон* — Дмитрий Цветков.
[3] *Тихий* — Вячеслав Ростик.
[4] *Пасечник* — участковый инспектор милиции *(жарг.)*.

водки, кои должны были сильно облегчить процесс излечения и умерить страдания «Анискина».

За набитую американской валютой спортивную сумку стоило побороться.

При этом Рыбаков и компания были уверены в том, что всех обещанных Кугельманом денег им не получить — пронырливый и жадный Абрам Мульевич обязательно постарается заплатить только половину, дабы с оставшейся суммой «прокатить» лаборанта. Все равно тот не пойдет никуда жаловаться.

Но и миллион долларов был неплохим гешефтом.

Особенно при подготовительных расходах менее ста тысяч...

— Весёленько получилось,— Денис обошел свежеокрашенный дом, издалека заметный из-за яично-желтых стен, ядовито-фиолетовой крыши, розовых перил на крыльце и салатно-зеленых ставней и наличников на окнах, изящно декорированных алыми сердечками.— Перебора не вышло, как думаешь?

— Нормалек,— прогудел Кабаныч, приглашенный для независимой визуальной оценки дизайнерских работ.— Как в мультике.

— В том-то и дело, что как в мультике,— вздохнул Рыбаков.— Только таблички «Наф-Наф» или «Нуф-Нуф» не хватает...

— Зато искать долго не будут,— нашелся Горыныч, осуществлявший подбор красок.— А то, блин, сказали бы потом, что не туда заехали, все дома на одно лицо...

Денис обернулся и посмотрел на скучные грязно-песочные соседние строения маленького садоводства, куда уже со дня на день должны были начать приезжать ранние дачники-огородники:

— Да уж... Не заметить нас невозможно.

— Вот и я говорю,— обрадовался Горыныч, с опаской ожидавший резюме неподкупного Кабаныча.— Прям с дороги видать. Не ошибешься.

— А в ясную погоду,— добавил Садист,— аж от станции...

— Надо было ту скульптуру своротить и сюда привезти,— заявил Ортопед.— Только пикап пришлось бы брать. В джипер не вошла бы...

— Не вошла бы,— согласился Горыныч.

— Какую скульптуру? — удивился Рыбаков.

— Ну, ту...— широко развел руки Грызлов.

— Из парка,— закивал Колесников.— Мраморную...

— Мужика,— Ортопед щелкнул пальцами.

— Такого,— Горыныч наклонился и отвел назад правую руку.

— Ничего не понимаю,— констатировал Денис.— Какого мужика и зачем?

— Мужик,— попытался вновь объяснить Горыныч и опять согнулся.— Такой, блин...

— Ну, Диня,— Ортопед посмотрел на приятеля глазами человека, в полпятого утра посланного за водкой.— Мы с тобой ее видели... Статую. Ты еще сказал, что это памятник чуваку, глотающему таблетку с размаху...

— А-а, «Дискобол»! — вспомнил Денис.— Но тут-то он зачем?

— Как указатель, типа,— растолковал Горыныч.— На повороте дороги. Чтоб маршрут не спутали...

— Миша, тырить скульптуры я тебе не дам,— засмеялся Рыбаков.— И не мечтай даже. Это культурные ценности. Где стоят, пусть там и останутся. А с указателем мы что-нибудь придумаем. Табличку, в конце концов, повесим: «Здесь торгуют атомными бомбами. Третий дом справа. Просьба приходить со своими контейнерами и в свинцовых трусах». И Глюка перед воротами положим,— Денис махнул рукой в сторону мирно посапывающего в серо-стальном джипе «Toyota Highlander» Аркадия Клюгенштейна,— в качестве образца. Типа, вот что бывает с теми, кто не соблюдает технику безопасности при работе с ядерными материалами... Кстати, а что с ним?

— Спит,— просто ответил Кабаныч.

— Это я вижу... Вопрос — почему спит?

— Устал, наверное,— пожал плечами Ортопед.— Вчера у его сестры день варенья был.

— Ага,— понимающе хмыкнул Денис.— И Глюк был тамадой.

— Само собой,— Михаил не стал оспаривать очевидный факт.

— Он скоро очнется?

— Часа через два,— Кабаныч бросил взгляд на наручный хронометр «Rolex» в титановом корпусе.— Только ему, блин, ничего, кроме минералки, давать нельзя... Иначе опять в штопор ухнет.

— Здесь и так ничего, кроме сока и минералки, нет,— сказал Рыбаков.— Кстати говоря, про скутеры Глюк, разумеется, забыл. Так что за ними тебе придется ехать, Мишель...

— Ладно,— Грызлов беззаботно махнул рукой.

— У меня случай был один в жизни,— Горыныч присел на оставшийся от спиленной сосны пенек и ткнул пальцем в похрапывающего Клюгенштейна.— Аналогичный... С туристами в поход пошел. В тайгу... Шишек кедровых набить, золотого корня насобирать, если встретится, лосося половить...

— А почему это называлось туристическим походом? — не понял Денис.

— Дык нельзя ж без лицензии по тайге шакалить,— объяснил Колесников.— Тем более, мы в заповедник шли... Остановились на одной железнодорожной станции. Там, типа, общий такой лагерь организовался. Наша группа, еще человек сто. Тоже туристов... Кто поезда своего ждет, кто отдыхает, кто вещички караулит... Ну вот. С вновь прибывшего поезда сгружается один кадр. Небритый, блин, высоченный, здоровый как лось, с парой рюкзаков и палаткой. Выходит на перрон, молча достает «сабониса», всасывает его в три глотка, падает на свои вещи и засыпает... Народ, в принципе, не удивился. С кем не бывает? Дорога дальняя, расслабиться надо... Через часок-другой мужик просыпается, достает из рюкзака такой же флакон, вливает в глотку и опять вырубается. Ну, подобное поведение уже вызвало в народе некоторый интерес...

— Немудрено,— согласился Рыбаков, усаживаясь рядом с Кабанычем на врытую у калитки скамеечку.

— Отдохнув еще чуток,— продолжил Горыныч,— он просыпается, достает третью бутылку, выпивает и снова заплющивает рожу... Тут, конечно, все в ауте. Такого отдыха еще никто не видел... Сидим, ждем, когда он опять проснется... Долго ждать не пришлось. Где-то в шесть вечера он продирает глазенки и начинает шарить ручкой по рюкзаку. Ну, тут один мой товарищ не выдержал и говорит: «Слышь, мужик, ты б хоть палатку, блин, поставил... А то ночь скоро, дождик собирается. Промокнешь, заболеешь потом...» На что чувак тот отвечает: «Какая палатка, на хрен? Веришь, нет,— покурить некогда!..»

— Силен,— восхитился Ортопед.

— Со Стоматологом тоже был случай,— Кабаныч прикурил длинную душистую сигару и с удовольствием выпустил клуб сизого дыма.— Летел на своем «мерине» и гаишника не заметил. Зацепил правым крылом, тот в кусты улетел. Стоматолог затормозил, нашел тело, пульс пощупал — типа, нету. Дохлый, значитца... Надо что-то делать! — Браток махнул сигарой.— А там кладбище неподалеку. Ну, бросил трупера в багажник, подвез к воротам, нашел сторожа, сунул, блин, штуку бакинских, тот и согласился прикопать... Стоматолог жмура выгрузил и уехал спокойно, по делам своим. Через час обратно едет... А мусор-то, оказывается, не помер, а бухой был в сосиску. Когда его сторож в яму сбросил и землицей присыпал, он продышался, замерз и наружу выполз. И аккурат опять на шоссе, под колеса Стоматологу. Ну, тут, блин, тот чуть умом не тронулся... «Кладбище домашних животных», часть третья. Мусор-зомби! И опять его крылом зацепило, на этот раз — не правым, а левым... Стоматолог снова — тело в багажник и на кладбище. Сторожу в дыню дал, приказал на этот раз как следует уже закопать, сунул еще пятьсот баксов и свинтил... Кладбищенский мента в ту же яму сунул, сверху на всякий случай кирпичей навалил... Но это еще не финал. Там, блин, поблизости пост гаишный был... Мусора-то и заинтересовались, что это мерс на погост среди ночи зачастил. Один и пошел. Типа, проверить. Бродил, бродил, пока на сторожа не наткнулся. Тот как раз по аллее топал. Мент к нему сзади пристроился, тук-тук по плечу... Хотел, видать, про Стоматолога спросить, однако не успел – сторож повернулся, мусора в форме увидел, да ка-а-ак даст ему лопатой по башке: «Когда ж ты, сволочь, угомонишься-то?!»

Братки мстительно заржали.

— Это все очень поучительно, конечно,— изрек Денис после окончания всеобщего веселья, вызванного рассказом Кабаныча,— но мы сюда вроде не байки травить приехали...

* * *

Встреча опера Плодожорова и коммерсанта Кугельмана, посвященная вопросу продолжения найма первого вторым, проходила в задрипанном кафе на той же улице Чайковского, где располагалось здание ОРБ.

Захар Сосунович прибыл первым и заказал кофе и двести граммов дрянной водки «Сыдорчук» — лидера серии спиртосодержащих жидкостей «Замечательные личности Петербурга», которую выпускал завод, принадлежащий семейству городского прокурора. Взяв в руки теоретически одноразовый белый пластиковый стаканчик, на краю которого виднелись следы чьих-то зубов и розовела смазанная помада, майор устроился за пустующим угловым столиком.

Все остальные места были заняты завсегдатаями, часть из которых уже пребывала в состоянии «салат вернется, ты только жди...»

Хрипло орала старая магнитола, исторгая из своих дребезжащих недр немузыкальные вопли звезд отечественной эстрады. Сидевшие за спиной Плодожорова грузчики из универсама по соседству громко кляли питие портвейна с утра, по причине чего сложно было проводить наступивший день разнообразно, а замызганный донельзя субъект втолковывал официантке, что если человек может лежать на полу, ни за что не держась, то он еще не пьян, и тыкал пальцем в товарища, перегородившего проход к стойке. За ближайшим к оперативнику столиком спал коротко стриженный здоровяк, уронив круглую голову на грудь и изредка всхрапывая.

Появившийся в дверях Абрам Мульевич презрительно скривился, обозрев наличествовавший контингент, пробрался к столику Плодожорова и принялся выговаривать майору за назначение встречи в столь неподобающем месте.

Захар минуты три молча слушал стенания Кугельмана, но затем не сдержался и резко оборвал картавого коммерсанта:

— Абрам, заткнитесь. Если вам очень хочется, чтобы нас срисовали и ваша сделка провалилась бы, то мы можем встречаться хоть в Смольном. Или на Литейном. Фээсбэшники будут счастливы... Им никуда ехать не надо будет.

— Захар Сосунович, да что вы такое говорите? — тихонько взвизгнул Кугельман.— Я просто не привык к заведениям подобного рода... Поймите меня правильно!

— Я вас правильно понимаю,— Плодожоров глотнул водки и закусил приложенным к кофе кусочком сахара.— Вы узнали, где состоится передача товара?

— Нет.

— Почему?

— Он сказал,— Абрам Мульевич понизил голос,— что назовет место только за час до встречи.

— Это плохо,— майор побарабанил пальцами по грязной столешнице.— Как же мы его обложить должны?

— Я не знаю. Это ваша работа, Захар Сосунович,— Кугельман капризно выпятил нижнюю губу.— За это я вам и плачу...

Плодожоров пошевелил бровями, изображая напряженную работу мысли.

Он понимал, что жадный и недоверчивый Абраша сказал ему далеко не все, что касалось предстоящей передачи неизвестного оперу товара в обмен на сумку с деньгами. Единственно, что было точно известно, так это габариты товара — ящик размером с небольшой холодильник и весом около центнера. Очень похожий на контейнер с ядерными материалами, как совершенно правильно сообразил Плодожоров.

Такой на себе не попрешь и в людном месте не передашь. Не кейс с наркотой, чай...

Для транспортировки требовалась машина и скрытое от посторонних глаз место сделки.

Именно из этих нехитрых исходных данных Плодожоров и сделал вывод о том, что Кугельмана обязательно куда-то пригласят. Скорее всего, на квартиру или в загородный дом, где хранится товар.

Когда нужный коммерсанту предмет заберут и увезут, в дело должны будут вступить Захар и компания, дабы вернуть Абраму Мульевичу выплаченные деньги. За возврат сумки с валютой Плодожорову было обещано пятьдесят тысяч долларов, из которых он оплачивал услуги тех, кого вздумает пригласить в качестве группы поддержки.

В общем, нормальная «разводка» с участием бравых правоохранителей, коих за годы реформ случалось великое множество.

Захар уже участвовал в подобных мероприятиях и прекрасно знал, что даже в случае провала ему и его коллегам ничего не грозит. Городская прокуратура, как водится, не найдет состава преступления и встанет на защиту чести мундира, а руководство ОРБ задним числом подмахнет десяток бумажек, из которых будет явно следовать, что майор со товарищи находился при исполнении служебных обязанностей и расследовал деятельность организованной преступной группы. Что и завершилось блестящим захватом членов ОПГ с поличным.

Конечно, надо было поделиться выручкой с руководством, но это было не к спеху.

— Когда будет аванс? — в лоб спросил Плодожоров, пока еще не получивший ни копейки.

— Скоро,— на лбу Кугельмана выступили бисеринки пота.

— Я так не могу работать,— Захар сделал вид, что собирается встать и уйти.— Мне нечем заплатить моим товарищам... А в одиночку я не справлюсь.

— Подождите,— голос коммерсанта задрожал.— Сколько надо?

— Половину,— выдохнул майор.

— Вы меня разорите! — возмутился Абрам Мульевич.

Здоровяк за соседним столиком вздрогнул и захрапел.

— Да тише вы! — шикнул Плодожоров.— Не в синагоге! Хотите, чтобы все гладко прошло?

— Хочу,— Кугельман опустил нос долу.

— Ну тогда платите... Мы с вами уже три недели трем неизвестно что, вы подтверждаете, что надо людей собирать и готовить, а финансирование на нуле. За вас, кстати, поручился очень уважаемый человек,— напомнил оперативник ОРБ, имея в виду Быстренкова, на которого Кугельман вышел через брата жены Владлена Марксеновича. Полковник переключил надоедливого иудея на Плодожорова, приказав сделать для Абраши то, что тот хочет, но при условии — чтоб больше он не доставал его, Быстренкова, телефонными звонками.— Я могу ему сказать, что вы не оправдываете его высокого доверия...

— Не надо так говорить! — перепугался коммерсант, которому брат жены зачем-то поведал абсолютно фантастическую и дикую историю о том, как Быстренков якобы лично до смерти забил в камере внутреннего изолятора РУБОПиКа одного некрупного бизнесмена вместе с водителем и секретарем, попытавшихся обмануть грозного полковника.

— Тогда платите,— повторил Плодожоров.

— Захар Сосунович, а можно частями? — На груди Кугельмана сидела огромная жаба и душила, душила, душила...

— Можно. Но половину — вперед,— отрывисто произнес майор, чувствуя, что Абрам Мульевич близок к тому, чтобы сломаться.— Двадцать пять штук. Зелененьких полновесных долларей...

Здоровяк-сосед что-то промычал во сне и пошевелился, отчего стул под ним скрипнул и угрожающе затрясся.

— Но половина от половины — это двенадцать пятьсот! — вскинулся жадный Кугельман.

— А кто говорил о половине от половины? — съязвил Плодожоров.— Я не говорил, этот,— оперативник кивнул на здоровяка,— тоже...

— Но...— коммерсант пошел красными пятнами.

— Без «но»! Слышь, ты! — Опер наклонился вперед, так что его лицо оказалось в тридцати сантиметрах от испуганной физиономии Абрама.— Я тебе не сявка какая-то, а майор ОРБ! Ты понял?

— П-п-понял,— промямлил Кугельман.

— Вот и хорошо,— довольный произведенным эффектом Плодожоров откинулся на спинку стула.— Так когда прикажешь получить аванс?

— Завтра,— коммерсант обреченно махнул рукой.— Вы ко мне в офис сможете к десяти подъехать?

— За денюжкой, Абраша, хоть к шести утра,— широко улыбнулся майор и снова перешел на «вы».– Вот пересчитаю денюжку-то, тогда и обсудим что, как и почему... Прям в вашем офисе. Договорились?

– Договорились, Захар Сосунович,– вздохнул неутешный коммерсант.

– Ну и хорошо,– Плодожоров умиротворенно огляделся.– Водочки не желаете? Я угощаю.

– Нет,– отрицательный ответ дался потомственному халявщику Кугельману с трудом, но он переборол себя.– Я спешу...

– Как хотите,– оперативник допил свою водку и встал.– До встречи.

– До свиданья,– буркнул Кугельман, решивший было изменить свое отношение к предложению о выпивке, но не успевший это озвучить и теперь сожалевший об упущенном шансе, и первым вышел из кафе...

Когда покачивающаяся фигура поддатого майора скрылась в толпе спешащих по своим делам людей, коротко стриженный здоровяк открыл глаза, посмотрел на окружающих совершенно трезвым взглядом, встал и двинулся к выходу, доставая из кармана трубку мобильного телефона.

* * *

Гугуцэ задумчиво охлопал себя ладонями по бокам, обнаружил в кармане пиджака ключи от серебристого внедорожника «Lexus LX 470», стоявшего у парадной лестницы его трехэтажного кирпичного особняка, поцеловал жену и потрепал по холке подросшего мастино-неаполитано, заслужившего наконец гордое погоняло Громщик. Супруга, правда, была не совсем довольна, но Гугуцэ разъяснил ей, что кличка молодого пса полностью соответствует его характеру и повадкам — Громщик действительно иногда тырил бутерброды прямо из-под носа хозяина, что было весьма и весьма небезопасно.

Напоследок бизнесмен Борис Евгеньев заглянул в комнату старшей дочери, сидевшей за уроками, умилился, глядя на то, как она старательно что-то выводит в толстой тетради, чмокнул в затылок и наставительно произнес:

— Крючки пиши аккуратнее, Лизонька. А лучше — возьми разлинованный лист. Нас так учили...

— Это интегралы, папа,— вежливо ответила дочь.

— Да? Хм,— Гугуцэ вспомнил, что Елизавете совсем недавно стукнуло пятнадцать лет, и подивился тому, как летит время.— Ну, тем более...

— Хорошо, папа,— невозмутимо отреагировала почтительная дочь.— Ты сегодня поздно вернешься?

— Не знаю, Лизонька,— Борис почесал пятерней в затылке.— А что?

— Я хотела подружек пригласить.

— Так приглашай, о чем речь! — удивился Гугуцэ.— Гости в дом — счастье в дом!

— Хорошо, папа,— кивнула Елизавета Евгеньева, надеясь на то, что главу семейства, как в прошлый раз, когда она устроила маленькую вечеринку, не принесут в дом два веселых бритоголовых верзилы со странными именами Пых и Тулип и не положат бесчувственное тело прямо на стол в гостиной, откуда тот под утро с грохотом свалится.

* * *

Сотовый телефон «Ericsson T39s» разразился трелью, в которой искушенное ухо тут же определило бы первые такты известной среди правильных пацанов песни «Эй, ментяра, продерни в натуре...»

— Да! — Горыныч поднес трубку к уху.— А, Димон! Здорово! Да, тут он... Ага... Ага... Так... Ага... Передам... Тебе того же! Ждем! — Даниил повернулся к Рыбакову.— Гоблин через час будет. Записал разговорец... Завтра этот пархатый штрих с мусором оэрбэшным в десять утра встречаются. В «Семисвечнике»...

— Так,— Денис прервал свою беседу с Кабанычем, которому он объяснял тонкости изготовления муляжей малогабаритных ядерных зарядов.— Это хорошо. Офис мы Кугельману нафаршировали, базар явно в кабинете будет, а там аж три «жучка» стоят. Про израильских контрагентов подробного разговора не было?

— Не,— Горыныч покачал головой.— Димон бы просек... Но ты и так запись услышишь.

— Жаль, что не было,— задумчиво произнес Рыбаков, он же — «лаборант Фишман»,— времени все меньше остается, а мы про них как не знали практически ничего, так и не знаем...

— Да и черт с ними! — бодро высказался Ортопед, бросая очередной нож в поставленную у дерева ростовую мишень.

В последние полгода Грызлов увлекся метательным оружием и старался с пользой проводить свободное время, швыряя в выпиленные из толстой фанеры и раскрашенные под милиционера фигуры финки, сюрикены[1] и толстые трехгранные иглы, некогда весьма популярные в Северном Китае.

Нож вонзился в область горла мишени, рядышком с двумя предыдущими.

— Нет, Мишель, не черт,— серьезно ответил Денис.— Такая покупка без участия спецслужб не проходит. А спецслужбы — это для нас факт повышенного риска.

— Разберемся,— Ортопед маховым движением снизу от бедра бросил сразу три «звездочки».

Две воткнулись в грудь мишени, одна чуть отклонилась в сторону и попала в дерево в метре от головы мирно сидящего на раскладном стульчике Горыныча.

— Э, брателло, осторожнее! — беззлобно сказал Колесников.

— Извини,— сконфузился Ортопед.— Не рассчитал...

— Миша, хватит дурью маяться! — попросил Рыбаков.— Ты так покалечишь кого-нибудь...

Ортопед кивнул и принялся вытаскивать из мишени финки и сюрикены, складывая их в специальные углубления транспортировочного чемоданчика.

— Итак,— Денис вернулся к разговору с Кабанычем.— Саму дуру, Андрюша, мы заказали в мастер-

[1] *Сюрикен* — метательная «звездочка», оружие ниндзя.

ской при Кораблестроительном институте.– Рыбаков похлопал ладонью по черному гладкому боку стального цилиндра, стоявшего на крылечке дома.– Штучка с секретом, без ключа не откроешь...

Андрей Николаев одобрительно цокнул языком:

– А ключ мы им не дадим.

– Дадим, но позже,– Денис показал Кабанычу стальной штырек с тремя фигурными бороздками и вставил его в отверстие на верхней грани цилиндра.

Внутри «специзделия» тихо зажужжали электромоторчики, откинулась прямоугольная крышка, и взгляду заслуженного братка явилась панель с двумя десятками кнопок, украшенных цифрами от нуля до девяти и какими-то непонятными значками, и маленький жидкокристаллический экранчик.

– Вот,– Рыбаков ткнул пальцем в кнопку с изображением двух пересекающихся ромбов.– Внутри стоит «Сони Вайо» [1].

– О, у меня такой же,– обрадовался Кабаныч, не упускавший возможности приобщиться к последним достижениям в области компьютерной техники и собравший коллекцию из почти трех десятков ноутбуков, большинство из которых использовались им исключительно для игры в «Ghost Recon» или «Quake 3 Urban Terror».

---

[1] Денис имеет в виду портативный компьютер «Sony Vaio PCG-C1VP Transmeta Crusoe TM5667 667» с диагональю дисплея 8,9 дюйма, объемом памяти 15 гигабайт и CCD-камерой.

На экранчике возникло схематическое изображение какого-то устройства и замигала надпись «Введите код».

Денис быстро нажал несколько клавиш с цифрами.

Изображение сменилось на мерцающую таблицу с рядами символов.

— Это как бы пульт управления,— объяснил Рыбаков.

— Да уж понятно,— прогудел подкованный Кабаныч.— Не в деревне живем...

— К устройству прилагается запечатанный водонепроницаемый и огнеупорный конверт со списком команд, которые могут как инициировать устройство, так и прогнать тестовые программы для проверки основных схем и системы в целом.— Денис продемонстрировал братану три пластиковые карточки размером в два раза больше кредитной.— Одна из них еще вставляется в щель приемника. Без нее заряд в боевое положение не поставишь, хоть десять раз код инициации набери.

— Круто! — оценил Кабаныч.— А в жизни заряды так же запускаются?

— Почти,— кивнул Рыбаков.— Меня папик просветил, как и что...

— Да, твой папаня — голова,— согласился Кабаныч.

— Информашка про заряд явно была перепроверена,— Денис выключил имитатор пульта управления и закрыл крышку.— Наш потенциальный покупатель довольно подробно меня расспросил о методе постановки на боевой взвод и уж, без сомнений, все в деталях изложил своим хозяевам. Те дали добро, так как описания совпали.

— А что там внутри? — поинтересовался Николаев.

— В основном — аккумуляторы к компу. Ну и непосредственно перед сделкой подложим туда немного необогащенного урана. Для фона. Нефтяник в Сосновом Бору прикупил.

— Для здоровья не вредно? — озабоченно спросил Кабаныч.

— Не-а,— Рыбаков накрыл цилиндр серым байковым одеялом.— Таблетка урановая в свинце. Дает всего полсотни микрорентген в час. Для человека безопасно... За пару часиков до операции мы ее вынимаем из контейнера, пихаем в полость на дне цилиндра и завинчиваем. Соответственно, переносной измеритель показывает нужный нам фон. Я у папика проконсультировался, настоящие заряды примерно так и фонят.

— Ага,— покивал Кабаныч.— Типа, все совпадает.

— Типа, да,— подтвердил Денис.

— Это хорошо,— радостно осклабился браток.

* * *

Путь Дмитрия Чернова по кличке Гоблин от улицы Чайковского до загородного домика, где его ждали Рыбаков и другие официальные лица, занял немного больше времени, чем запланировал браток.

И все потому, что при съезде с Дворцового моста на Стрелку Васильевского острова в зад гоблинского внедорожника въехал грузовичок ЗиЛ, под завязку набитый красивыми коробками с оргтехникой.

Такого коварства от тащившегося за ним «лоховоза» Димон не ожидал, потому вовремя не сориентировался, случайно притопил педаль газа, и его изумрудно-зеленый «Jeep Grand Cherokee» впилился в задний борт притормозившего КамАЗа, загруженного облицовочными плитами для ремонта здания Биржи. В рулевой колонке что-то щелкнуло, раскрывшаяся подушка безопасности больно стукнула возмущенного Гоблина по носу и прижала братка к креслу. Рядом с шорохом раскрылась боковая надувная занавеска, защищающая голову водителя от осколков стекла, а спустя еще секунду — подушка безопасности пассажира.

Чернов придушенно завопил и подумал, что за столь запоздалую реакцию пассажирской подушки следует хорошенько набить морду продавцам из салона «Chrysler», чтобы не подсовывали уважаемым покупателям негодный товарец.

Около минуты все три попавшие в аварию автомобиля стояли спокойно, а застывшие пешеходы с интересом наблюдали за тем, как в салоне джипа шевелится нечто огромное. Наконец раздался хлопок, дверь распахнулась, и на асфальт выпрыгнул обозленный Гоблин, выплевывая куски обслюнявленного серого полиэтилена.

— Блин, еле прогрыз! — заорал браток, погрозил кулаком обвисшей прокушенной подушке и деловито направился к ЗиЛу.— Вылезай, урод!

Водитель грузовичка заблокировал дверь, сделал вид, что не слышит Чернова, и начал медленно сдавать задом.

Браток решил не разводить долгих базаров, кулаком пробил боковое стекло в кабине ЗиЛа и за шиворот вытащил шофера на улицу.

Группа японских туристов, случившаяся неподалеку, засверкала вспышками фотоаппаратов.

— Товарищ! Товарищ! — От Кунсткамеры в сторону ДТП бежал долговязый молодой милиционер в куртке с люминесцентными полосами и крупной яркой надписью ДПС на спине.— Прекратите самосуд!

Гоблин, не обращая внимания на вопли ментозавра, подтащил виновника аварии к перилам моста, перебросил через ограждение и подвесил над серой водой.

Японцы одобрительно загомонили и придвинулись ближе, не переставая щелкать затворами своих «кодаков» и «никонов».

— Ну? — вполне дружелюбно спросил браток, удерживая белого от ужаса шофера одной рукой, а второй извлекая из кармана сигареты.— И что делать, блин, будем?

Водитель ЗиЛа промычал что-то невразумительное.

— Немедленно прекратить! — дэпээсник добежал-таки до места аварии и схватил Чернова за рукав.

Гоблин от неожиданности разжал пальцы, и шофер полетел вниз.

— Ты что наделал, скворец недоношенный? — Димон сгреб милиционера за отвороты куртки и подтянул к себе.— Ты ж, блин, человека утопил!

Из-под моста раздался шлепок тела об воду и истошный крик.

Браток перегнулся через перила и поискал взглядом водителя грузовичка. Долго искать не пришлось — несчастный барахтался на отмели глубиной по пояс.

— Тебе повезло,— Гоблин оттолкнул от себя постового и вытер пальцы об куртку.— Иди, чудило, протокол составляй. А я, блин, пока этого вытащу...

Глава 4

Я РУССКИЙ БЫ ВЫУЧИЛ ТОЛЬКО ЗА ТО, ЧТО ИМ РАЗГОВАРИВАЛ В ДЕТСТВЕ

— Гражданин, вы еврей?
— Нет, я просто сегодня так выгляжу...

Диалог в паспортном столе РУВД Приморского района СПб

К девяти утра в белом «Mercedes-Benz Vaneo 280» с тонированными до непроглядной черноты боковыми и задними стеклами, купленном Димой Цветковым по кличке Эдисон прямо на заводе в Штутгардте и потому обошедшемся братку на двадцать процентов дешевле, чем если бы он брал микроавтобус в специализированном автосалоне, собрался весьма достойный коллектив.

Ортопед попыхивал сигарой, расположившись в развернутом на сто восемьдесят градусов переднем пассажирском кресле. На маленьком заднем диване сидели Денис Рыбаков с Садистом, приставное место занимал Горыныч, а возле столика с аппаратурой слежения возился сам хозяин передвижного пункта аудио- и видеонаблюдения, настраивавший стоявшие в ряд три включенных ноутбука «Toshiba Satellite 5905- S607».

В бригаде Антона Антонова Эдисон отвечал за непростой сектор технической и электронной разведки. И во многом благодаря его усилиям, подкрепленным помощью Ди-Ди Севена и еще нескольких пацанов, операции группировки обычно проходили безопасно для исполнявших ударно-штурмовые функции братанов. На финансирование группы «Зоркого ока и чуткого уха», как однажды Цветкова и компанию назвал начитавшийся Фенимора Купера Гугуцэ, уходило до двадцати процентов заработанных средств, но такое положение вещей себя оправдывало. Братанский коллектив был в курсе всех возможных «подляночек», что им готовили как туповатые бизнесмены, так и не оставлявшие надежду посадить кого-нибудь из группировки мусора. На подготовленные хлопчиками из ОРБ встречи делегаты от ОПГ приезжали без оружия, зато в сопровождении адвокатов и прикормленных съемочных групп с телевидения; на провокационные вопросы жадюг-коммерсантов, проинструктированных операми с Чайковского, отвечали полным непониманием, болтали между собой по мобильным телефонам со скремблерами[1], так что у сотрудников отделов наружного наблюдения разнообразных правоохранительных органов в наушниках стояло сплошное бульканье и кваканье, вовремя подчищали концы сомнительных сделок, заранее знали в

[1] *Скремблер* – шифровальное устройство.

лицо всех участников переговоров и при необходимости получали подробные резюме на каждого из потенциальных партнеров.

Стражей законности такое положение вещей изрядно бесило, но что-либо противопоставить браткам они не могли. Скудное финансирование, которое, разумеется, имело место быть, не являлось, однако, определяющим фактором милицейских провалов. Все было гораздо проще: ужасающий уровень интеллектуальной подготовки «людей в сером» не позволял доверять им дорогостоящую аппаратуру аудиоконтроля. Электронные блоки либо ломались от пролитого на них пива, либо не выдерживали экспериментов любознательных приматов, пытавшихся подать в рассчитанные на полтора вольта схемы ток от автомобильного аккумулятора, либо элементарно пропивались, о чем затем составлялись косноязычные рапорты, в которых исчезновение приборов объяснялось ураганами, наводнениями, происками конкурентов из УВД других регионов, нападениями инопланетян и другими столь же убедительными и правдоподобными причинами...

Эдисон привел изображение с двенадцати установленных в офисе Кугельмана миниатюрных видеокамер к единому стандарту и, довольный, развернулся в крутящемся кресле:

— Вот так. Теперь мышь не проскользнет.

— Алмазно[1],— оценил Горыныч, обозревая три светящихся экрана, каждый из которых был разделен на четыре части.— А картинки не мелковаты?

[1] Отлично *(жарг.)*.

— Надо будет — увеличим,— спокойно отреагировал Цветков.

— Техника на грани фантастики,— выдал Ортопед.— Барыга камеры не засечет?

— То есть? — не понял Эдисон.

— Ну, случайно не наткнется? — пояснил Грызлов.

— Так это его камеры,— Цветков удивленно поднял брови.— На фига нам свои ставить? Я ж, типа, к его системе видеонаблюдения присоединился... Наши — только «жучки».

— А-а,— смутился Михаил, пропустивший мимо ушей объяснения Эдисона, всего полчаса назад подробно расписавшего технические детали процесса слежки за генеральным директором «Семисвечника».— Торможу слегка. Не выспался, блин...

— Бывает,— Эдисон пожал плечами и посмотрел на мигавшие в нижней части экранов часы.— Сорок девять минут еще.

— Включай уже запись,— сказал Денис.— Весьма вероятно, что наш клиент перед базаром с этим оэрбэшником захочет с кем-нибудь проконсультироваться... Кстати, вот он и подъехал.— Рыбаков указал на один из дисплеев, в верхней левой четверти которого появилось изображение решетки радиатора поносно-коричневого «Opel Senator», купленного в Германии прямо со свалки всего за тысячу марок, кое-как восстановленного российскими умельцами и используемого Кугельманом в качестве разгонной машины.

Цветков быстро подвел курсор к окошечку с надписью «rec» и нажал левую клавишу дорогущей беспроводной оптической «мыши» «Logitech

MouseMan iFeel Optical MUN53b». Все три объединенных в единую сеть ноутбука отозвались мелодичным попискиванием и зажгли красные огоньки на панелях индикации.

Низкорослый и плешивый Абрам Мульевич выбрался из автомобиля, покрутил головой и направился к дверям офиса.

— Рановато он сегодня,— заметил Эдисон, прекрасно изучивший распорядок дня гендиректора «Семисвечника».

В своем кабинете Кугельман снял пиджак, повесил его на спинку кресла, воровато оглянулся на дверь и вынул из стенного шкафа здоровенный бобинный магнитофон «Юпитер» в отделанном шпоном под красное дерево корпусе.

— Ого! — удивился Рыбаков.— Давненько я такой техники не видал.

Попыхтев, Абрам Мульевич разместил агрегат в правой тумбе письменного стола, для чего ему пришлось извлечь из нее все выдвижные ящики и свалить их на диване, подсоединил к магнитофону похожий на противотанковую гранату огромный микрофон, положил его под стопку бумаг на столешнице, проверил работу записывающего устройства, фальшиво напев пару куплетов из бывшей когда-то весьма популярной песенки «Азохен-вей, мы в Жмеринку поедем...», остался доволен качеством воспроизведения и принялся варить себе кофе на маленькой электроплитке.

— По-моему, он идиот,— констатировал Садист.— Катушечник же рычит как мотор лунохода. Этот мусор вмиг усечет, что его пишут.

– И что ты предлагаешь? – осведомился Денис.– Зайти к Кугельману и попросить его не маяться дурью? Полагаю, что он такого авангардизма не поймет. Пусть все идет как идет... Оэрбэшник не менее «умный», чем Мульевич, так что единственное, что может произойти, так это скандал с битьем морды барыге и наложением какого-нибудь символического штрафа за попытку подставы. На нашу операцию сие никак не повлияет. Кугель без прикрытия к нам не пойдет, а времени, чтобы найти замену уже прикормленному менту, у него нет... Оэрбэшник, судя по его базарам, сильно жадный и тоже рвать отношения не будет.

– Оэрбэшники все жадные,– закивал Горыныч, неоднократно сталкивавшийся с корыстолюбивыми обитателями особнячка на Чайковского.– Одно лавэ на уме...

У входной двери «Семисвечника» нарисовался худощавый молодой человек характерной семитской наружности, взбежал на крыльцо, остановился, картинно достал из кармана дешевый радиотелефон «Motorola M3788» в ярко-розовом чехольчике из дерматина и начал набирать номер, краем глаза наблюдая за реакцией прохожих.

Сидевшие в микроавтобусе братки одновременно усмехнулись...

Любой мобильный телефон является сложным электротехническим устройством, состоящим из нескольких миллионов транзисторов, резисторов, проводочков, мулечек, примочек и хохмочек, большая часть которых не работает. Основным назначением миниатюрного аппарата является придание его владельцу так называемого «понта». Некоторые модели способны понтоваться как совместно с владельцем, так и в автономном режиме, выдавая в среднем до двадцати миллипонтов в час в сухом и проветриваемом помещении. При этом не рекомендуется понтоваться в одиночных камерах, туалетных кабинках, в горах или в чащобе леса, а также во время пожаров и стихийных бедствий, поскольку понтоваться будет совершенно не перед кем или понтующемуся могут набить морду.

Понтование – это сложный и ответственный процесс, требующий от участника соблюдения определенных правил.

Прежде всего, совершенно необходимо облачиться в специальный «понтовочный костюм», называемый также «прикид», включающий в себя малиновый пиджак, канареечную майку, ядовито-фиолетовые ботинки, оттягивающую бычью шею золотую цепь минимум граммов на триста и пару таких же золотых гаек на пальцах. Что касается брюк, то без них можно запросто обойтись, надев подходящие по расцветке шорты или спортивные трусы. Еще требуется друг с характерной внешностью хомо питекантропус, только что задушившего голыми руками парочку других владельцев радиотелефонов, с десяток патрульных ментов и одного министра внутренних дел. Друг должен неотлучно находиться рядом с владельцем мобильника, держа наготове портативный персональный компьютер и задумчиво почесывая им свою волосатую грудь или спину понтующегося.

Любой радиотелефон предназначен для использования в наиболее шумных и максимально подходящих для этого местах: на дискотеках сразу возле колонок, в ресторанах поблизости от оркестра, на митингах возле трибуны с микрофоном, в переполненной сауне, на концерте оперной звезды и так далее. Для повышения уровня понта можно потребовать от участников вышеописанных мероприятий на время телефонных переговоров вести себя потише.

Содержание беседы понтующегося с абонентом должно быть слышно каждому присутствующему в радиусе 20 метров. В разговоре не следует упоминать суммы менее миллиона долларов при обсуждении торговых сделок и количество трупов менее пяти — при обсуждении методик устранения конкурентов.

В случае же несоответствия внешности владельца радиотелефона общепринятому стандарту понт выходит жалким и вымученным, ибо базары об успехах в нефтяном бизнесе возле чадящего «запорожца» кажутся окружающим вызывающими и могут привести к тому, что понтующемуся настучат по голове и отберут заветную трубочку...

Вьюноша, на которого проходившие мимо офиса «Семисвечника» студентки расположенного поблизости медицинского института не обратили ни малейшего внимания, на олигарха похож не был, и его понт пропал втуне. Он грустно перекинулся с кем-то парой фраз, спрятал мобильник, показал кукиш приставшей к нему старушке с плакатом «Подайте кто сколько может сыночку Вове на контртеррористическую операцию в Чечне!» и распахнул входную дверь конторы гражданина Кугельмана.

* * *

Знакомство оперуполномоченного ОУР тридцать пятого РОВД Геннадия Опоросова с Захаром Плодожоровым состоялось в конце девяностых годов в ДК имени Дзержинского, где проводился сабантуйчик по поводу Дня милиции.

Естественно, все присутствовавшие на концерте «люди в сером» через полчаса после начала фуршета ужрались в стельку и, на время забыв о трениях между различными подразделениями и отделами, принялись совместно отплясывать под завывания приглашенной эстрадной звезды, громко топоча начищенными ботинками и сапогами по паркету банкетного зала и исполняя нечто вроде милицейского сиртаки. Иногда из хоровода выпадал очередной обессилевший танцор, но его место тут же занимал ожидающий своей очереди подкрепившийся у столиков с напитками.

Отовсюду слышались тосты и крики. Высунувшийся из окна начальник «убойного» отдела Главка изрыгал на асфальт внутреннего дворика содержимое своего желудка; в углу за портьерами следователи Выборгского СО били делегата, прибывшего из городской прокуратуры; радостно повизгивали толстые и потные ментовские жены, когда их прихватывали за отвислые задницы проходившие мимо «официанты», набранные из числа патрульных сержантов; громко ухал первый заместитель начальника ГУВД, принимая стопку за стопкой и занюхивая рукавом чьей-то влажной шинели; бестолково бродил по залу невменяемый глава Службы собственной безопасности. У стен в живописном беспорядке валялись сброшенные с плеч парадные мундиры, дамские сумочки и неподвижные тела.

В коридоре и на верхней площадке парадной лестницы Дома культуры также было оживленно и весело.

Опера из ОБНОНа угощали всех желающих дармовой травкой, изъятой специально к празднику у возмущенных таким беспределом узбеков и таджиков с Некрасовского рынка. Сотрудники ОБЭП разливали спирт из синей полиэтиленовой двухсотлитровой бочки, невесть как доставленной на третий этаж, работники свежеобразованной полиции нравов устроили распродажу видеокассет с нелицензионной порнухой, прося за единицу товара совершенно символическую сумму и утверждая, что все вырученные деньги пойдут на счет сиротского приюта для внебрачных милицейских детей.

Опоросов выкурил жирный «косячок», осоловел окончательно и решил подышать свежим воздухом.

За пять минут, проведенных на продуваемом ветром балконе, бравый страж порядка немного пришел в себя и даже стал различать окружавшие его мелкие предметы. Таковых было несколько: перевернутая табуретка, ящик с пустыми бутылками, разорванная почти пополам генеральская фуражка, ефрейторский погон, аккордеон и вцепившиеся в прутья перил чьи-то пальцы.

Заинтересованный Опоросов перегнулся через ограждение и узрел висящего на руках незнакомого коллегу.

Коллега посмотрел Геннадию прямо в глаза и печально икнул...

Процесс подъема закоченевшего тела тогда еще капитана Плодожорова обратно на балкон был многотруден.

Сначала Опоросов пытался втащить коллегу багром, снятым с пожарного щита, но только разодрал тому брюки, исцарапал ягодицы и чуть не лишил мужского достоинства. Затем «спасатель» накинул на шею Плодожорову валявшуюся перед балконной дверью веревку и принялся тянуть, едва не задушив хрипящего спасаемого. Потом районный опер постарался соорудить нечто вроде люльки из сорванной в зале портьеры и усадить в нее несчастного, но и в этом не преуспел, ибо Захар напрочь отказывался сгибать ноги и висел прямо, аки аршин.

Наконец Опоросову пришла в голову гениальная мысль. Он спустился на первый этаж, выбросил из окна десяток старых спортивных матов, коекак соорудил под висевшим Плодожоровым небольшую мягкую кипу, поднялся обратно, минуты три промучался, разгибая сведенные судорогой пальцы, потерпел фиаско, разозлился и треснул капитана по голове бутылкой из-под шампанского.

Потерявший сознание Плодожоров рухнул вниз, промазал мимо матов и сломал себе ногу.

Но Опоросов не был бы заслуженным ментом, если бы не придумал выход из этой сложной ситуации. Он сбежал вниз, затащил бесчувственное тело на маты и позвал коллег, дабы те убедились в том, что лишь только благодаря мужественности и предусмотрительности Геннадия капитан Плодожоров остался жив.

В дальнейшем эта история обросла множеством душераздирающих подробностей. Так, утверждали, что самоотверженный Опоросов принимал на грудь падавшую с десятого этажа тушку Захара. О том, что в ДК имени Дзержинского всего четыре этажа, почему-то никто не вспоминал...

* * *

«Самым популярным среди детей дошкольного и младшего школьного возраста наркотическим средством является „Растишка“ от „Данон“. При более чем доступной цене оно обладает мощным галлюциногенным действием: у детей возникают ощущения, что они растут, летают, начинают лучше учиться, становятся сильнее, и другие забавные и ненавязчивые глюки»,— проникновенно вещал диктор «Азии-минус».

— Сделай потише,— Денис взглянул на Ортопеда.— Они сейчас базарить начнут...

Сидевший ближе всех к автомагнитоле Грызлов выключил звук.

Эдисон вывел изображение из кабинета Кугельмана на весь экран стоявшего посередине ноутбука и прибавил яркость.

* * *

Плодожоров помешал ложечкой кофе в миниатюрной керамической чашечке и взглянул на посветлевшее после ста граммов водочки «Кремлевская» лицо Опоросова.

— Теперь ты в норме?

— Я всегда в норме,— изрядно погрешил против истины, разорвал пакетик с сахаром и бодро высыпал его мимо своего чая на столик опер из тридцать пятого РОВД.— Слушаю тебя...

В кафе «Марко Поло», располагавшемся поблизости от офиса «Семисвечника», по утрам было немноголюдно. К тому же, что немаловажно, тут имелся зал для курящих и цены на алкогольные напитки не отличались излишней завышенностью, свойственной, к примеру, подобным заведениям на Невском проспекте. Исходя из этих соображений, Плодожоров и назначил своему старому знакомцу, которого он намеревался привлечь в качестве грубой физической силы при проведении захвата «торговцев ядерными материалами», встречу именно здесь.

— У тебя в отделе есть надежные люди? — с места в карьер начал майор ОРБ.

Капитан задумался.

В милицейских кругах критерием надежности обычно являются честность при розливе спиртосодержащей жидкости по стаканам присутствующих и готовность помочь коллеге написать отказ в возбуждении уголовного дела, не настучав на него затем в отдел собственной безопасности. В иных, более серьезных случаях, понятие «корпоративная солидарность» становится не более чем красивым словосочетанием – пойманные с поличным на каком-нибудь тяжком преступлении менты со свистом сдают всех своих подельников, инициативно дают подробнейшие показания и активно топят друг друга на очных ставках.

– Дело опасное? – осторожно поинтересовался Опоросов.

– Ни в малейшей степени,– солгал Плодожоров, заранее прикинув, как он сможет выйти сухим из воды, ежели задуманное сорвется.– Постоять на стреме и поотгонять любопытных. Которые вряд ли появятся.

– Это можно,– капитан задумчиво пожевал нижнюю губу.– Тебе сколько народу-то нужно?

– Человек пять–семь,– майор уже договорился с четырьмя своими коллегами из особнячка на Чайковского, но для полного комплекта участников ему не хватало тех, кто встанет во внешнее оцепление места сделки.

Опоросов почесал в затылке.

– Шестерых хватит? Включая меня?

– Хватит... Люди проверенные?

– Обижаешь, Сосуныч,– хмыкнул капитан.– Не один литр вместе выкушали...

– Меня твои литры не колышат,– зло произнес Плодожоров.– Мне другое надо.

– Да ты, это самое, не переживай,– отмахнулся Опоросов.– Все как надо сделаем... При условии нормальной оплаты, конечно.

— По триста баксов на рыло,— с ходу предложил Захар, совершив тем самым большую ошибку.

Три сотни американских долларов на человека для пропойц из райотдела были гигантской суммой. На них каждый из потенциальных участников мероприятия мог спокойно пить месяца два. И естественно, что Опоросов тут же сообразил, что без его помощи Плодожоров не справится, и принялся торговаться, заявив свой ценник в семьсот пятьдесят зеленых на брата.

Бодание продолжалось минут десять.

Капитан и майор пыхтели, обвиняли друг друга в излишнем корыстолюбии и жадности, тихонько переругивались, но ни одному из них даже не пришло в голову покинуть место встречи.

Наконец сошлись на четырехстах двадцати пяти долларах и ящике водки «Спецназ» на каждого приведенного Опоросовым участника.

— Когда бабки? — раскрасневшийся опер из ОУРа утер катившийся со лба трудовой пот.

— Завтра — по сто баксов, остальное — по завершении,— хрипло сказал Плодожоров, кляня себя за то, что не предложил изначально долларов по пятьдесят.— Кстати, подготовь транспорт. Может, придется за город ехать...

— Машины — фигня,— капитан бросил жаждущий взгляд на батарею бутылок позади стойки.— Нам спонсоры две «шестерки» новые выделили, так что колеса есть. Когда надо, тогда и возьмем.

— А они по вызову какому не отъедут в неподходящий момент? — озаботился Захар.

— По вызову? — хохотнул Опоросов.— Да-а, Сосуныч, забыл ты, как на земле работают... У нас заявители сами в отдел приходят, своими ножками. Не баре, чай, чтобы еще машины посылать.

— И опергруппы на место преступления не выезжают? — удивился Плодожоров.

— Это бывает,— задумчиво проскрипел капитан.— Но не часто. С нашим новым прокурором не забалуешь, терпилы теперь сто раз думают, прежде чем к нам ломиться...

Свеженазначенный прокурор Приморского района, низкорослый и отличающийся крайней неразборчивостью речи Андрей Викторович Баклушко, пошедший на естественное в правоохранительных кругах повышение после того, как развалил все что можно на должности заместителя прокурора в Петроградском районе, с первого дня пребывания в должности начал бороться с порочной практикой бездумного возбуждения уголовных дел по заявлениям граждан и весьма в этом преуспел, чем заслужил уважение со стороны оперов и дознавателей.

Критериями необходимости возбуждения дела и его расследования у Баклушко всегда были финансовая состоятельность заявителя и наличие хотя бы одного подозреваемого, которого следовало быстро перевести в разряд обвиняемых и запихнуть в камеру. Во всех иных случаях, когда тщедушный «надзиратель за законностью» видел, что ему в карман ничего не капнет и расследование может обернуться «глухарьком», он изобретал разнообразные способы отказа в возбуждении дел или их прекращения по самым дебильным основаниям.

Например, однажды Андрей Викторович три раза подряд подписал постановления о прекращениях уголовного дела об изнасиловании, согласно статье пять пункт два Уголовно-процессуального кодекса РСФСР [1], при этом не оспаривая имевшее место событие. В другой раз полковник заволокитил материал по обвинению известного в районе педофила Леши Собролькова в домогательствах к учащимся местного лицея, получив от «детолюба» три тысячи евро отступных, в третий — придрался к оформлению заявления о краже, мотивировав отказ от подписи санкции отсутствием фотографий украденных вещей и фоторобота подозреваемого.

Видя столь согласованную «работу» прокуратуры и милиции, жители Приморского района практически перестали обращаться в органы за защитой и старались справиться с возникающими проблемами собственными силами. В результате чего резко пошла вверх кривая нанесения телесных повреждений различной степени тяжести.

— Мне пора,— Плодожоров посмотрел на часы.— Завтра встречаемся здесь же в двенадцать.

— Угу,— Опоросов потянулся и встал.— А я сегодня с народом переговорю...

[1] Статья 5 пункт 2 УПК РСФСР, действовавшего до 01 июля 2002 года,— отсутствие в действиях обвиняемого состава преступления.

* * *

— Иудушка! — искренне обрадовался Кугельман, завидев просунувшуюся в приоткрытую дверь кабинета мордочку потерпевшего фиаско в создании понтов юношу.— Заходи.

Конечно, радость Абрама Мульевича была бы гораздо более полной, если бы к моменту появления своего «младшего партнера» он успел допить кофе, но в жизни не бывает совершенства. Поэтому владелец «Семисвечника», скрепя пейсы, налил раздувшему ноздри посетителю маленькую чашечку. Немного утешило гражданина Кугельмана одно — он смог быстро спрятать сахарницу, пока Иуда топтался в дверях, и на просьбу визави немного подсластить напиток лишь горестно развел руками: мол, кончился как песочек, так и кусковой, а в запарке последних дней все недосуг было его приобрести.

Да и дороговат-таки стал в последнее время сахарок-то...

— Все ли у тебя готово? — поинтересовался вошедший, поняв, что слабенькую бурду, выдаваемую генеральным директором за кофе, ему придется хлебать несладкой.

— У меня-то готово,— Кугельман сложил на брюшке пухлые ладошки.— Вопрос в тебе и твоих людях...

— Деньги доставлены,— Иуда прищурился.— Да ты об этом и без меня знаешь.

— Знаю,— согласился Абрам Мульевич.— Но хотелось бы получить подтверждение не из одного источника...

* * *

— Это Пейсиков, племяш Цили Моисеевны,— объяснил Денис потиравшему подбородок Ортопеду и повернулся к Эдисону.— Дим, потом нам пару его фоток распечатай. В дополнение к уже имеющимся...

Цветков кивнул и пометил себе что-то в блокноте.

— А сами, блин, непосредственные купцы когда будут? — осведомился нетерпеливый Горыныч.

— Скорее всего, мы их увидим только на самой сделке или незадолго до назначенного срока. Часа за два-три,— пожал плечами Рыбаков.— Пока они не появляются. Все базары с Кугелем ведет этот штрих. Он же передал тридцать штук на предварительные расходы. Из этих бабок Мульевич и собирается платить ментам.

— Я не очень врубаюсь,— признался Садист,— как наш жиденок скроет от мусоров то, что они лимон лавэ обратно забирают. Ведь ежели скворцы пронюхают о сумме, так они либо свою долю с полташки тонн до двухсот пятидесяти—трехсот поднимут, либо вообще деньги прикарманят. Второе — наиболее вероятно...

— Думаю, деньги в кейс положат. Типа «Самсонита»,— предположил Денис.— Быстро не вскроешь, а получатель кейса, то бишь ребе Кугельман, будет совсем рядом ошиваться, чтобы дипломат без промедления забрать.

— Возможно,— задумчиво изрек Ортопед.

* * *

— Гуревич и Шимесы спрашивали, когда все-таки состоится обмен,— Пейсиков перешел к основной теме разговора, ради которой он и прибыл в офис «Семисвечника».— Они здесь уже две недели, волнуются...

— Быстро только палестинцы родятся,— отмахнулся Абрам Мульевич.— Дело слишком серьезное, чтобы совершать необдуманные шаги. Как только наш продавец будет готов, он сообщит... В самые ближайшие дни, так и передай Гуревичу.

— Ты позаботился о группе прикрытия?

— Да.

— И кого нанял? — как бы невзначай спросил Иуда.

— А вот это не твое дело,— надулся Кугельман.— Мои люди — это мои люди. Гуревичу и компании они не помешают. Их даже видно не будет...

Пейсиков нервно облизал верхнюю губу.

— Кстати, не вздумайте нанимать кого-нибудь еще,— предупредил генеральный директор.— И сразу подготовьте второй миллион. Я его должен отдать через сутки после того, как товар попадет к Гуревичу.

— Второй миллион уже на месте, как и договаривались,— заявил Иуда.— На вокзале. Бумажку с номером ячейки и кодом я тебе передам. Как только Гуревич отъедет на безопасное расстояние, он мне позвонит...

* * *

— Черт, а вокзал какой? — Эдисон зашелестел страницами блокнота.

— Балтийский или Варшавский,— уверенно прогудел Ортопед.

— С чего ты взял? — удивился Рыбаков.

— В одном базаре проскользнуло, что купцы в «Советской» хотят остановиться... Это еще месяц назад было. Бабки они будут под боком держать, так спокойнее. А вокзалов рядом два. Логика, блин...

— Ну, у тебя и память! — восхитился Горыныч.

— Не жалуюсь,— зарделся Грызлов.

— Ага,— Садист потер руки,— а зная их фамилии, мы их и там пропасти сможем.

— Не сможем,— Денис покачал головой.— Во-первых, нет гарантий того, что они под этими фамилиями зарегистрированы, во-вторых,— что именно в «Советской» припухают, а втретьих, эти Гуревич и Шимесы — не Кугель. Если с такими бабульками сюда заявились, то уж какое-никакое прикрытие от слежки у них есть. Однако мысль Мишеля весьма интересна. Ее надо учесть...

* * *

Распрощавшись с Пейсиковым и еще раз заручившись его обещанием, что деньги уже в камере хранения, Абрам Мульевич прошелся по кабинету, проверил сооруженную им систему аудиозаписи и принялся перебирать документы в одном из выложенных на диван ящике стола.

Иудушка же, покинув Кугельмана, направился не к выходу, а шмыгнул в маленькую комнатку при кухне, где минут десять о чем-то шептался со своей тетушкой — дородной и усатой Цилей Моисеевной Ступор, исполнявшей в фирме обязанности коммерческого директора.

Результатом разговора племянника и тети, начавшегося с безобидного обсуждения предстоящего в следующие выходные празднования дня рождения двоюродной сестры Цили Моисеевны, рецептов приготовления фаршированной рыбы и кошерного, запеченного с гречневой кашей поросенка, и тех сумм, что прижимистая родня намеревалась выделить на подарок, стало принятое под влиянием всплеска эмоций решение подставить гендиректора «Семисвечника»: самим забрать передаваемый «лаборанту Фишману» миллион и кинуть Абрашу со второй половиной денег. Мадам Ступор потеребила все свои три подбородка, промокнула выступивший на лбу пот, вспомнила о том, как она уже нагрела Кугельмана на семь с половиной тысяч долларов всего за год работы, и согласилась с планом Пейсикова, заключавшимся в привлечении «своих ментов» для изъятия у Абраши первого миллиона. Надо признать, что план этот мало чем отличался от намеченных самим Кугельманом действий в отношении продавца ядерного устройства.

Знакомые правоохранители Цили Моисеевны были из девятнадцатого отделения милиции Выборгского района, славного идиотизмом своих сотрудников ничуть не меньше, чем тридцать пятый отдел.

* * *

Пока ждали появления подзадержавшегося Плодожорова, Ортопед включил расположенный между передними креслами маленький телевизор с девятидюймовым жидкокристаллическим дисплеем и нажал на кнопку канала РТР, дабы послушать новости.

Основной темой выпуска была пресс-конференция, данная Генеральным прокурором России на тему завершения расследования по факту гибели в августе двухтысячного года атомного подводного крейсера «Мценск». Картавый ведущий пробормотал нечто невнятное, смущенно хихикнул и передал слово журналисту, присутствовавшему на оглашении результатов следствия, продолжавшегося два года.

Корреспондент тоже не стал попусту точить лясы и сразу пустил в прямой эфир доклад генпрокурора.

Экран заполнила свинообразная туша в синем мундире.

— Натуральный, блин, хряк,— прокомментировал Садист.

Эдисон на всякий случай нажал кнопку записи на подсоединенном к телевизору видеомагнитофоне.

— Завершено расследование обстоятельств этой неожиданной для всех нас катастрофы...— красный как рак генпрокурор, вес которого при росте метр семьдесят давно зашкалил за полтора центнера, разгладил лежавший перед ним большой лист бумаги и зевнул,– ...а-а-атомного подводного ракетного крейсера «Мценск». Катастрофа произошла в ходе плановых учений девятнадцатого или двадцатого августа двухтысячного года в водах Баренцева моря и унесла жизни ста восемнадцати или ста девятнадцати находившихся на его борту членов экипажа. Может, правда, ста двадцати или ста семнадцати, но это не суть... Количество погибших еще будет уточняться, так как есть разночтения в документах... Известное всем вам уголовное дело...– страдающий лишним весом и острой нехваткой совести надзиратель за соблюдением законов окинул суровым и немного расфокусированным взглядом собравшихся журналистов,– ...было возбуждено двадцать пятого сентября того же года Главной военной прокуратурой по признакам преступления, предусмотренного частью третьей статьи двести шестьдесят девятой Уголовного кодекса Российской Федерации. Для не разбирающихся в вопросе поясняю: это нарушение правил безопасности движения и эксплуатации железнодорожного, воздушного, космического, водного, вьючного или гужевого транспорта, повлекшее по неосторожности смерть двух и более граждан, получивших российские паспорта нового образца, или одного и более сотрудников милиции, суда или прокуратуры, или трех и более нелегальных эмигрантов, или семерых и более граждан России с паспортами старого образца. И попрошу отметить оперативность возбуждения дела... Месяца не прошло, как мы его возбудили!

– Да, для тебя это успех, блин,– зло буркнул Садист.

– На первоначальном этапе следствие располагало крайне ограниченной, скудной и противоречивой, я бы даже сказал – нулевой информацией о катастрофе,– продолжил жирный чиновник.– Правда, дела сейчас обстоят не лучше, но об этом я еще скажу... В связи с этим о причинах аварии было выдвинуто девяносто семь рабочих версий. Основными из них являлись следующие: столкновение «Мценска» с иностранным подводным, надводным или воздушным кораблем, поражение «Мценска» торпедой или ракетой с иностранного подводного, надводного или воздушного корабля, диверсия, террористический акт, хулиганство, вандализм, подрыв АПРК на мине времен Великой Отечественной войны, гибель субмарины в результате нештатной ситуации с ее или чужим вооружением, неблагоприятная геофизическая обстановка, шторм, извержение подводного вулкана, нападение неопознанного летающего или плавающего объекта, метеоритная атака и многие, многие другие,– выступающий довольно прищурился, жизнеутверждающе икнул и весело улыбнулся.– Как видно из сказанного, работа была проведена огромная...

– Но бессмысленная,– подытожил Денис.

– В ходе следствия,– между тем продолжал вещать прокурор,– все выдвинутые рабочие версии, особенна те, что касались НЛО и хулиганки, были тщательно проверены. Задержано сто девяносто семь подозреваемых из числа экстремистов, принадлежащих к так называемой «Национал-большевистской партии». Часть из них уже созналась в утоплении как «Мценска», так и погибшего лет десять назад «Комсомольца», а также ряда российских и иностранных подлодок, включая «Трешер». Сейчас с арестованными продолжают работать... Еще были собраны исчерпывающие сведения о крейсере и его техническом состоянии, в чем нам сильно помогли коллеги из ЦРУ, о готовности экипажа и крейсера к выходу в море (отдельное спасибо британской разведке), о вооружении подлодки — данные взяты из доклада руководителя германской санитарно-эпидемиологической службы, так что в их точности нет сомнений. О подготовке и ходе учений мы узнали из газет и сравнили эти сведения с докладами штатных стукачей. Они, как ни странно, совпали, что говорит об использовании как нами, так и журналистами одних и тех же источников информации. Еще мы выяснили все подробности о проведенном после учений банкете, посвященном удачному окончанию маневров, об обстоятельствах катастрофы, ее последствиях и последующей поисково-спасательной операции.— Генпрокурор сверился с лежавшими по левую руку шпаргалками.— Да-да, именно поисково-спасательной, потому что лодку сначала надо было найти. А море — оно большое. Не говоря уже о Тихом океане, озере Байкал и реке Ангара, где «Мценск» на всякий случай тоже искали... Кроме того, при проверке выдвинутых версий была произведена оценка собранных доказательств, включая данные, предоставленные следствию Великобританией, Норвегией, Финляндией, Колумбией, Буркина-

Фасо и Австралией. Особенно ценными были сведения из Буркина-Фасо, куда я сам лично трижды выезжал в командировку и знакомился там с местными достопримечательностями...

В зале возник легкий шум.

— В составе следственной группы четко и слаженно работали двести сорок шесть следователей, собранных по всей стране и специализирующихся в основном на квартирных кражах и уличных разбоях,— одышливый бюрократ поднял руку, призывая к тишине.— Всем им приходилось трудиться в условиях, сопряженных с риском для жизни и здоровья, проявляя высокое чувство ответственности, выносливость по отношению к некачественному спиртному, морозоустойчивость, профессионализм, а порой даже мужество и героизм. Например, младший советник юстиции Собакевич трижды за один день падал с корпуса субмарины на дно дока, но каждый раз лез обратно. И то, что он был в сосиску пьяный, не умаляет его трудового подвига, как тут некоторые могут подумать!.. Или вот, следователь Вонюкин... Он обнаружил внутри «Мценска» содержащие драгоценные металлы детали приборов и мужественно приобщил их к делу как вещественные доказательства, а не сдал в скупку знакомым армянам,— лицо генпрокурора приняло удовлетворенное выражение, явственно свидетельствовавшее о том, что он в прошлом лично и неоднократно таскал к барыгам изъятые на месте происшествий ценные вещи.

По рядам журналистов прокатилась волна перешептываний.

— Что за бред он метёт? — удивился Рыбаков.— Буркина-Фасо, драгметаллы, скупка...

— Впервые участники следственной группы произвели осмотр затонувшего подводного крейсера непосредственно после того, как он был поднят,— генпрокурор повысил голос.— Или не поднят... В общем, это мелочи. Поднят — не поднят, смотрели — не смотрели... Может, это вообще макет был... Или есть... Короче, работы проводились в экстремальных условиях. Даже видеоаппаратура и фототехника, использовавшаяся при осмотре, отказывала из-за применения ее при температуре воздуха до минус пятидесяти градусов по Цельсию, повышенной влажности и повального пьянства операторов. Всего с октября двухтысячного по март две тысячи второго года с «Мценска» подняты тела и фрагментированные останки ста пятнадцати человек из ста восемнадцати или ста девятнадцати, находившихся на борту подлодки в момент гибели. Правда, может, их было чуток больше или меньше, но об этом я сказал выше, и это пока точно не известно. Все тела опознаны и переданы родственникам для захоронения, включая трех дохлых американских аквалангистов, которых случайно укокошили глубинной бомбой в процессе плановой бомбардировки акватории. Тела примерно троих или четверых из погибших обнаружить не удалось. Видимо, их или не заметили, или они таинственно исчезли...

— Как это так? — крикнул кто-то из зала.

— На этот вопрос я отвечу потом,— отмахнулся чинуша и уставился в лежавшее перед ним заключение.— В ходе расследования дела проведено свыше... ого!.. ста тысяч следственных действий, допрошено... ничего себе!.. более полумиллиона свидетелей, осмотрено более тысячи объектов, документов, фрагментов вооружения и конструкций субмарины и множество достопримечательностей в Буркина-Фасо и Таиланде, где я тоже побывал в командировке... За содействие, оказанное в ходе следствия, Генеральная прокуратура благодарна специалистам флота, сотрудникам научных и экспертных учреждений, руководителям и служащим государственных органов управления, производителям вин и ликеров, оперативно откликнувшимся на призыв помочь членам следственной бригады, и особенно — руководству туристической фирмы «Фламинго», организовавшей мои выезды за границу.

В этот момент тележиссеры показали снятое другой камерой ошарашенное лицо заместителя главы президентской администрации, также сидящего в президиуме. Справа от кремлевского бюрократа возвышался телохранитель, что-то быстро говоривший в прикрепленный на лацкане пиджака микрофончик.

— Несмотря на все трудности и особую сложность данного уголовного дела,— с новой силой продолжал отчитываться генпрокурор,— следственная группа выполнила свою задачу в полном объеме, всесторонне, полно и объективно установив все обстоятельства произошедшей трагедии. В ходе следствия установлено, что катастрофа произошла девятнадцатого или двадцатого августа двухтысячного года в одиннадцать часов двадцать восемь минут или немного позже где-то в Баренцевом море вследствие взрыва торпеды внутри торпедного аппарата номер...— Чиновник посмотрел листок бумаги на просвет.— Тут неразборчиво... а, в общем, это и неважно, главное — что внутри... и дальнейшего развития взрывного процесса в боевых зарядных отделениях торпед, находившихся в первом или, в крайнем случае,— во втором отсеке подводного крейсера. Но не в третьем и уж никак не в четвертом... Эти обстоятельства были окончательно установлены экспертами после подъема фрагментов носового отсека летом этого года. Принадлежность фрагментов пока устанавливается. Может, они и не от «Мценска». Но это все фигня... Подъем фрагментов был прекращен только после того, как эксперты сочли достаточными количества предоставленных им для исследования данных и спиртосодержащих жидкостей. Вот.

Из-за портьеры за спиной выступавшего выглянул бритоголовый верзила с характерной внешностью медбрата из психиатрической клиники.

— В результате взрыва торпед в прочном корпусе образовались отверстия размером с двух- и пятирублевые монеты, на общую сумму в сто восемьдесят восемь рублей, через которые в первый отсек лодки начала поступать морская вода, затопившая практически полностью первый отсек лодки. Явившаяся результатом взрыва ударная волна, а также летящие фрагменты хвостовой части разрушенной торпеды и торпедного аппарата инициировали взрывной процесс бризантного вещества боевого зарядного отделения ряда торпед, которые были расположены на стеллажах внутри первого отсека.— Эта фраза далась ему с трудом, и генпрокурор перевел дыхание и громко высморкался.— Получив такие, я не побоюсь этого слова, катастрофические повреждения, корабль затонул в Баренцевом море в ста с чем-то милях от входа в Кольский залив на глубине метров в сто... Или двести... Короче, следствие пришло к выводу, что лица, участвовавшие в проектировании, изготовлении, хранении, приготовлении и эксплуатации торпеды, не предвидели возможности ее взрыва и гибели экипажа вместе с кораблем, и по обстоятельствам дела такой возможности предвидеть не могли. Поэтому принято решение о прекращении уголовного дела за отсутствием состава преступления... Конечно, в ходе следствия выявлены нарушения в организации, проведении учений и поисково-спасательной операции, допущенные должностными лицами органов военного управления ВМФ России. Куда ж без этого? И все вы знаете, что эти лица наказаны. Но не сильно. Потому что они о-о-очень высокопоставленные лица! — Глава Генпрокуратуры показал пальцем куда-то вверх.— И у них такие же высокопоставленные друзья. Так что — финита, господа. Следствие закончено, дело закрыто! С чем я вас всех и поздравляю...— Из-за портьеры высунулись две волосатые руки, схватили чиновника за ворот форменного мундира и вместе со стулом опрокинули на спину.— Эй, куда вы меня тащите?! Я Генеральный прокурор! Да я!.. Да мне!.. Ой, щекотно!..

— Пресс-конференция окончена! — истерично завопил заместитель главы президентской администрации, навалившись сверху виновника торжества и помогая дюжему медбрату спеленать трепыхавшегося чинушу.— Всем очистить помещение! Это все недоразумение! Это двойник! Настоящий генпрокурор похищен чеченскими боевиками!..

По экрану телевизора прошла рябь и появилась заставка «Приносим извинения за технические неисправности».

— Что это было? — недоуменно спросил Горыныч.

— По-моему,— Рыбаков задумчиво побарабанил пальцами по подлокотнику кресла,— этому жирному придурку кто-то подсунул таблеточку, подавляющую в мозгу центр вранья. Или сдобрили его утренние пончики порошком ЛСД. Другого объяснения у меня нет...

* * *

Плодожоров объявился в офисе у Кугельмана только к половине одиннадцатого.

Несмотря на то что от кафе «Марко Поло» до «Семисвечника» ему нужно было пройти всего полтора километра, Захар Сосунович потратил на преодоление этого расстояния почти сорок минут. И все потому, что решил заставить Абрашу понервничать да подергаться.

Передача аванса прошла почти без происшествий, если не считать того, что в кульминационный момент пересчета Плодожоровым денег катушечный магнитофон в столе Кугельмана начал жевать пленку, заскрипел и с треском выключился. Гендиректор «Семисвечника» объяснил обеспокоенному неожиданным шумом Захару, что это шумит неисправная канализация в туалете за стеной, и тот вернулся к пачкам изрядно замусоленных двадцатидолларовых банкнот, среди которых попадались однодолларовые, вложенные для объема. Кугельман не мог не скрысятничать и надул оэрбэшника, всучив последнему не двадцать пять тысяч, как договаривались, а всего четырнадцать с половиной. Но Захар Сосунович был так поглощен радужными мыслями о том, как потратит полученные деньги, что ничего не заметил.

Обнаружил он подставу только к вечеру, когда у себя дома разодрал заклеенные крест-накрест пачки и вывалил бумажки на диван.

Ярости Плодожорова не было предела.

Пометавшись по квартире, майор взял себя в руки и принялся думать, как отомстить наглому иудею...

* * *

— Ха! Так это он и есть! Плодожоров-то! — радостно заявил Садист, тыкая пальцем в экран ноутбука.

— Разумеется,— Денис бросил на Левашова удивленный взгляд.— Мы еще вчера это узнали. При тебе ж базар был.

Олег почесал в затылке и потупился:

— Блин, упустил...

— Ничего страшного,— пожал плечами Рыбаков.— Фамилии мусоров нам не сильно-то и интересны. Гораздо важнее – их количество и настрой.

— Ну, настрой у них один,— проворчал Ортопед.— Денег на халяву срубить да нажраться... Кстати, пошел я. Мне сегодня еще скутера на место отвозить.

— Заказал уже? – поинтересовался Горыныч.

— Угу. Испанские. Движок – сто пятьдесят кубов. «Дерби Бульваром» [1] кличут.

— Сто пятьдесят кубов – не мало? – забеспокоился Колесников.

— Выше крыши хватит,— успокоил друга Грызлов.— Нам всего-то надо метров пятьсот проехать.

— Девятьсот семьдесят,— поправил педантичный Денис.

— Ну девятьсот семьдесят,— согласился Ортопед.

— И сколько ценник? – заинтересовался хозяйственный Эдисон.

— Три пятьсот штучка.

— Недорого,— Цветков вписал стоимость четырех скутеров в таблицу расходов.— Итого мы пока потратили сорок семь тонн. Это без учета мин Мизинчика.

— Мины не считаем,— улыбнулся Рыбаков.— Как и НДС...

---

[1] *«Derbi Boulevard»* – скутер с одноцилиндровым двигателем мощностью 11 лошадиных сил. Скорость – более 100 км/ч.

Глава 5

ШАЛОМ, ТОВАРИЩИ, ШАЛОМ...

— Ни фига себе! Народ вообще обалдел! Вася, смотри: во втором ряду какой-то придурок голую жопу вверх выставил!
— Ну, Саня, ты даешь! Разуй глаза! Это же два лысых шепчутся!

Диалог на балконе
в Мариинском театре

Утром следующего дня Денис на пять минут пересекся с Лысым [1] и Телепузом [2], отдал последние распоряжения по закупкам оборудования для отхода с места сделки и попросил Романа отложить на несколько дней разборку с генеральным директором холдинга «Сам себе издатель», только что вернувшегося в Питер после месячного отсутствия.

Возмущение Романа, чье звучное погоняло было опошлено рядом вышедших огромными тиражами в серии под названием «Народный целитель» книг,

[1] *Лысый* — Роман Альтов.
[2] *Телепуз* — Григорий Штукеншнайдер.

написанных каким-то придурком под псевдонимом Б. К. Лысый и посвященных приключениям дебиловатого «вора в законе», разделяли все члены братанского коллектива. И всячески поддерживали Альтова в его стремлении набить морду как главе холдинга, жирному и тупому барыге Исмаилу Вальтеровичу Дудо, носящему в среде питерских коммерсантов удачное прозвище «Чудо-Дудо», так и бывшему литагенту Всеволоду Израилевичу Говженкину, поднявшемуся до должности директора входящего в холдинг издательства «Экстра-Супер-пресс», чей логотип стоял на книгах вместе с эмблемами парочки других издательств.

Лысый не был бы так зол на книжников и, вероятно, не стал бы готовить страшную месть Дудо и Говженкину, если бы «воровские романы» были написаны хорошо.

Но книги оказались преотвратными, безграмотными и переполненными матюгами, что вызвало парочку подколок со стороны дружественных антоновской бригаде коллективов. В особую ярость Романа привело известие о заказчике и одновременно главном консультанте скрывшегося под псевдонимом автора серии о «Народном целителе». Выяснилось, что это был экс-сутенер и мелкий наркоторговец, решивший героизировать свой образ посредством литературы и нанявший для этого спившегося журналиста. Ради осуществления своей мечты он же и проплатил корыстолюбивым Дудо с Говженкиным издание серии.

Гендиректор холдинга, в свою очередь, приложил усилия для раскрутки романов, развесив по всему городу рекламные плакаты, в которых было указано не только то, что серия якобы написана двумя довольно популярными авторами боевиков, объединившимися под одним псевдонимом, но и то, что им помогал известный в городе братан, чья кликуха не указывалась якобы по соображениям коммерческой тайны. Однако имелся намек, что любой осведомленный в реалиях «криминальной столицы» человек сразу поймет, о ком идет речь.

Большинство осведомленных, разумеется, подумало о Лысом.

Что ему радостно и сообщили буквально через три дня после появления плакатов.

Поначалу Рома отшучивался, но спустя неделю, когда лавина «поздравлений» превратилась из тонкого ехидного ручейка в полноводный язвительный поток, решил узнать, что же именно написано в книжках, купил один из романов в черно-красной обложке и убил на его прочтение целый вечер.

На следующее утро в окно одного из безлюдных по причине слишком раннего времени офисов холдинга «Сам себе издатель» влетела осколочная граната из пистолетной версии НК-79 — любимого оружия гражданина Альтова, а к полудню взлетели на воздух два ярко-голубых «Жигуля-шестерки», припаркованных у офиса издательства «Экстра-Суперпресс». Этим самым Лысый как бы намекнул Дудо и Говженкину, что он сильно недоволен серией «Народный целитель».

Однако Роман забыл сообщить барыгам от книгоиздания, за что именно они получают гранаты в окна и пластид под днища машин. Те ничего не поняли, а лишь испугались и на месяц удрали из города, в полной уверенности, что их «гасят» по совершенно иному вопросу, связанному со старыми долгами.

Лысый осознал свою ошибку только через сутки, когда Дудо с Говженкиным были вне пределов быстрой досягаемости.

Огорченный этим фактом, он решил устроить жуликоватым бизнесменам «ночь длинных паяльников» сразу по их возвращении.

* * *

— Такого общеуспокаивающего ответа и следовало ожидать,— Александр Николаевич Рыбаков, отец Дениса и в прошлом — один из ведущих советских химиков, работавший на военно-промышленный комплекс великой державы, выбрал себе яблоко посочнее из лежавшей в хрустальной вазе горки.— То, что случилось с «Мценском», симптоматично... Бардак на всех уровнях, чего ни коснись. От разработки субмарины как таковой до расследования уже произошедшей аварии.

По пути к папаше Денис купил газету с изрядно приглаженным выступлением Генерального прокурора, откуда были вымараны все произнесенные тучным чиновником глупости, и вручил ее отцу, на денек вырвавшемуся с дачи. За городом Рыбаков-старший занимался поливом грядок с клубникой, окучиванием кустов крыжовника и смородины и очередными экспериментами с содержащими фруктозу органическими соединениями, столь ценными в деле приготовления домашних вин и настоек.

— Но вот взрыв торпеды...— пожал плечами Денис.

— Чушь собачья! — Александр Николаевич поморщился.— Бредни сивого прокурора! Просто так никогда ничего не взрывается. Особенно двигатели торпед. Их конструкция специально разработана с учетом того, чтобы избежать даже малейшей возможности взрыва... Пожар — да, может быть, но не взрыв. Но пожар к пробою прочного корпуса лодки не приводит.

— А боеголовки?

— Что боеголовки?

— Ну, разогрелись от пожара...— неуверенно сказал Рыбаков-младший.

— И что с того? — хмыкнул Александр Николаевич.— Потечет тол — и все тут. Если в боевую часть не вставлены взрыватели, которые, кстати, тоже имеют несколько степеней защиты, боеголовка не сдетонирует. А взрывателей там не было.

— Почему ты так уверен?

— Объясняю,— доктор химических наук плеснул себе полстакана домашнего красного вина из смеси ранних сортов слив и яблок и посмотрел напиток на свет.— Взрыватели хранятся отдельно от боеголовок. И даже не в торпедном отсеке, а в сейфе капитанской каюты, которая на рассматриваемом нами проекте «Антей» находится в четвертом отсеке... Боевая часть торпеды снаряжается взрывателем непосредственно перед боевым пуском, которые, кстати, разрешены только на спецполигоне, иначе говоря — на весьма ограниченной акватории. Для Баренцева моря — это место в двухстах милях от точки, где затонул «Мценск».

— А на всякий случай парочку снаряженных торпед не держат?

— Зачем?

— Например, для защиты от внезапного нападения,— предположил Денис.— Лодка ж боевая...

— Какое, к черту, «внезапное нападение» на учениях, где в квадрате сто на сто миль крутится весь Северный флот? — нахмурился Рыбаков-старший.— Там одних противолодочников штук десять было. Плюс три крейсера, авиация, миноносцы, ударные лодки. Заколбасили бы любую западную субмарину, буде она только вознамерилась напасть на «Мценск»... Да и в боевом походе взрыватели все равно в сейфе лежат. В крайнем случае — в специальной выгородке, типа порохового погреба. Подводный бой — это не мгновенное столкновение, а многочасовая взаимная охота. Времени, чтобы снарядить торпеды детонаторами,— хоть отбавляй. Весовой же заменитель и аппаратура, которыми снабжены боеголовки практических торпед, не взрываются, хоть ты тресни.

— Остаются двигатели...

— Двигатели тоже не взрываются, они горят,— надулся Александр Николаевич.— Конечно, взрыв — это просто быстрое горение, ежели рассуждать с научной точки зрения, но разработчики изделий — не идиоты. Техника безопасности ими предусмотрена, причем для любой нештатной ситуации.

— Так уж и для любой...

— Именно, что для любой. Перед тем как изделие идет в серию, проводятся очень жесткие испытания. По торпеде палят бронебойно-зажигательными из крупнокалиберного пулемета, бросают с высоты десяти метров на бетон и на стальной штырь, разогревают градусов до семисот... И еще ни разу движки не взрывались, только горели,— Рыбаков-старший отхлебнул из стакана.— Но пожар в одном из отсеков не может быть причиной гибели лодки, даже если в этом отсеке все погибли...

— Грешат на перекись водорода,— напомнил Денис.— Типа, она рванула.

— Ерунда! — отмахнулся Александр Николаевич.— При разложении маловодной перекиси водорода выделяется атомарный кислород, могущий привести только к кратковременному объемному пожару без больших температур. Ну, на несколько секунд будет в отсеке градусов двести-триста... Люди, разумеется, погибнут. Ну, загорится керосин, который тоже имеется в перекисно-водородной торпеде. И что? Стандартный пожар, который должны потушить штатными средствами... Но это все может случиться только в том случае, если пожар возникнет. Одного выделения атомарного кислорода и смешения окислителя с керосином мало.

— Почему?

— Да потому что при смешивании эм-пэ-вэ и керосина образуется эмульсия. Она нестабильна, но сама по себе не загорается. Необходима искра, огонь или некий катализатор.

— То есть,— задумался Денис,— нужно поднести к дефектной торпеде зажигалку?

— Примерно так,— глава семейства допил вино и вновь принялся за яблоко.— Сия картина совершенно фантастична... Сложно себе представить, чтобы матросы и офицеры в первом отсеке «Мценска» лезли к протекающему изделию с факелами и спичками. Они ж прекрасно знали, что в торпеде, чего нужно опасаться и как предотватить возгорание. К тому же, это не гидразиновое изделие — высокой температуры и массового отравления газами по всей лодке не было бы.

— Гидразин — это что такое? — заинтересовался Рыбаков-младший.

— Азотистый аналог этана,— разъяснил Александр Николаевич.— В молекуле два атома азота, связанных между собой. В общем, это химреактив, в частности, использующийся как горючее для реактивных двигателей. Сейчас в основном применяют даже не чистый гидразин, а его метильные гомологи — метилгидразин и диметилгидразин в смеси с тетраоксидом азота. Вот они могут самопроизвольно вспыхнуть. Сам же гидразин разлагается только при контакте с нагретым металлическим катализатором.

— Погоди, это для меня сложновато,— засмеялся Денис.

— Ничего сложного,— доктор химических наук поправил очки.— Соединение давно известно, его свойства неплохо изучены... У нас есть торпеды и ракеты на гидразине, но на «Мценске» таковых не было. Если бы речь шла о «Шквалах», я бы еще с известной натяжкой согласился с выводами экспертизы. Но только в части внезапного пожара, а не взрыва... Сейчас же все это выглядит безумным лепетом кучки дилетантов. Непонятные взрывы, самопроизвольные пожары, взявшееся неизвестно откуда дикое давление, детонации одних боеголовок и сохранность других, расположенных совсем рядом с гипотетическим «эпицентром» взрыва, продолжающееся активное горение после заполнения отсека водой и прочая лабуда. Так не бывает. Объяснение процесса «сложными физико-химическими реакциями»,– Рыбаков-старший ткнул пальцем в отмеченный им абзац статьи,– это попытка ввести всех в заблуждение, уйти от прямого ответа по существу. Ибо по существу сказать нечего. Да и характер разрушений во втором отсеке не похож на взрывное воздействие. Можешь мне поверить.

— Тогда на что он похож?

— Вероятнее всего, все эти разрушения произошли от удара лодки о дно. Сорвало кое-какие механизмы, где-то могли возникнуть локальные пожары... Приплюсуй к этому повреждения при распиле корпуса, когда отделяли первый отсек, и неизбежные мелочи, появившиеся за те полтора года, пока «Мценск» лежал под водой,– рыбки, крабы...

— Рыбки и крабы вряд ли чему-то там навредили,– возразил отцу Денис.

— Вот это ты зря,– усмехнулся Александр Николаевич.– Все дело в количестве и продолжительности времени воздействия. Рыбки объедали трупы, крабы тоже копошились в поисках разной органики, которой там было немало. За год много чего можно разворошить...

— Тогда что на самом деле случилось, если не взрывы торпед?

— Скорее всего, нечто комплексное. Пожар, срочное всплытие, удар о свой же тяжелый корабль или уход от столкновения, и носом в дно... Хотя, может, и без пожара. Пошли на поверхность, чтобы продуть отсек, в котором стала травить торпеда, и влетели под флагман того самого ОБК [1], по которому должны были через час или два пулять практической. Флагманом там был «Адмирал Молотобойцев», авианесущий крейсер. Шестьдесят пять тысяч тонн водоизмещением, боковые стабилизирующие кили по метру, да в толщину сантиметров по тридцать. Он такую лодку, как «Мценск», переедет и не заметит, особливо при волнении. А волнение на Баренцевом море всегда...

* * *

После встречи с майором Плодожоровым, предложившим поучаствовать в небольшом дельце, способном принести Опоросову со товарищи весьма неплохие дивиденды, капитан подумал и решил пару дней не ходить на работу.

Ему необходимо было набраться сил и восстановить находящиеся на грани разрыва отношения с женой.

Опоросов позвонил на работу, за три минуты втолковал немного невменяемому дежурному, что

[1] Отряд боевых кораблей.

заболел, и попросил предупредить об этом своего сокамерника старлея Самобытного. Затем капитан выслушал краткую сводку утренних новостей РОВД, содержавшую в основном рассказы о том, кто с кем и сколько уже успел «принять на грудь», повесил трубку и приступил к помощи жене в уборке квартиры.

Участие Опоросова в этом мероприятии заключалось в том, что он старался не мешаться под тряпками и пылесосом, а сидел на продавленном диване в гостиной и тихонько читал книжку «Гарри Потцер и день рождения Любавичского Ребе шлита Рабби Менахема Мендла Шнеерсона» своему пятилетнему сыну, периодически меняя воду в тазиках и передвигая мебель.

Это мирное чтение закончилось неожиданно, когда жена предложила капитану немного прибраться на лоджии, которая выходила на крышу магазина. Живший в квартире до Опоросовых гражданин сделал на крыше пристройку, чем увеличил площадь лоджии метров на двадцать. Затем жилец попался на торговле коноплей, мешки с которой он складировал именно в этой пристройке, был осужден не просыхающим вот уже лет десять судьей Фонтанкинского района Шаф-Ранцевым на три года колонии общего режима, убыл в зону, а через неделю был выписан из квартиры с формулировкой «конфискация жилплощади в пользу государства».

До государства квартира не дошла.

Шаф-Ранцеву кто-то подсунул листок со списком фамилий сотрудников тридцать пятого

РОВД, остро нуждавшихся в жилье, и перманентно неадекватный судья выбрал из него Опоросова, хотя жирная галочка стояла против фамилии начальника ОУРа майора Балаболко, давно забашлявшего куда надо пять тысяч долларов и нетерпеливо потиравшего загребущие ручонки в ожидании халявных квадратных метров.

Опоросовы мгновенно переехали из милицейского общежития в отдельную «трешку», а Балаболко остался с носом. Майор, конечно, поскандалил, но вышестоящее руководство приказало ему угомониться и ждать следующей конфискации.

Благо, происходили они регулярно...

За прошедший после обретения жилья год многочисленные родственники жены Опоросова забили лоджию всяким хламом, который выкинуть было жалко, а девать некуда. В пристройке возвышались груды тюков с одеждой, вышедшей из моды полвека назад, стояли рассохшиеся от старости сундуки, трюмо и тумбочки, коробки с траченными молью плюшевыми игрушками, треснутой посудой и распадавшимися на отдельные страницы книгами, кровати без спинок, колченогие стулья и многое другое, включая неисправный самогонный аппарат тестя. В результате свободная площадь сократилась с двадцати метров до пяти.

Протиснувшись в самый дальний угол лоджии, оперативник остановился и принюхался.

Пахло чем-то родным и знакомым, ноздри щекотал аромат созревшей браги.

Опоросов покрутил головой, выискивая источник запаха, ничего не нашел и призадумался.

Брагу он не ставил давно. Получку отбирала жена, если успевала примчаться в отдел до того момента, как капитан убывал с друзьями в увлекательное путешествие по окрестным кабакам, а дополнительные заработки немедленно тратились на пропой. Так что у Опоросова давно уже не бывало свободных денег на закупку ингредиентов в виде сахара и какой-нибудь клетчатки вроде картофеля или яблок.

Но Опоросов не был бы опером, если бы не применил метод дедукции для поиска веселящего напитка.

Побродив по лоджии, капитан путем тщательного обнюхивания и сравнения концентрации запахов в разных точках пристройки выбрал то место, где аромат был погуще, и разгреб кучу древних драповых пальто, принадлежавших когда-то покойной прабабке своей супруги. Под пальто обнаружилась вздувшаяся алюминиевая канистра, принявшая форму почти идеального шара.

Запах явно шел из-под крышки канистры.

Пить из горлышка оперу было не впервой, но он решил, раз уж находится дома, а не в полевых условиях, налить бражку в стакан или ковшик. Опоросов вытянул канистру в гостиную, погрозил пальцем сыну, отвлекшемуся от рассматривания комикса «Гарри Потцер и Йом-Кипур», и на цыпочках прокрался на кухню, дабы позаимствовать там какую-нибудь емкость.

Прихватив из раковины почти чистую кружку и похлопав мывшую пол жену по откляченной костлявой заднице, капитан вернулся к канистре и попытался отвинтить крышку.

С первого раза та не поддалась.

Как, впрочем, со второго и с третьего...

Разозленный Опоросов сбегал в сортир, принес отвертку и молоток, приставил жало отвертки к алюминиевому боку, убедился в том, что кружка стоит прямо под будущим отверстием, и изо всех сил треснул молотком по рукояти инструмента для завинчивания шурупов.

Разрыв вздутой канистры с брагой был подобен спецэффекту из голливудского боевика о злобных инопланетянах, когда нечто вылупляется из яйца и разбрасывает вокруг себя комья слизи.

Бабахнуло так, что капитанского сынка выбросило на лоджию, самого Опоросова – в коридор, колченогий буфет с чешским хрусталем плашмя грохнулся на пол, а в соседних квартирах попадали люстры и бра. Стены и потолок гостиной окрасились в розовый цвет.

Спустя минуту весь дом заполнил мощный духан перезревшего сусла.

Оглушенный страж порядка с трудом приподнялся, встал на четвереньки, тупо обозрел содеянное и без сознания рухнул ничком.

Он не слышал, как орали соседи, не чувствовал, как его лупила скалкой жена, не видел, как приехавшие спасатели и врачи со «скорой» извлекали пробившего головой крышку сундука и в ней же застрявшего младшего Опоросова. Капитан очнулся лишь под вечер, в пустой квартире, в слипшейся от браги одежде, с огромной шишкой на лбу и с неясным подозрением, что днем с ним произошло нечто не очень хорошее.

* * *

— Ну ладно,— кивнул Денис.— Предположим, что лодку зафигачил наш же корабль. Но почему тогда данные о происшествии не вылезли наружу? Экипаж крейсера — не одна сотня человек. Кто-нибудь, да проговорился бы. Особенно за денежку...

— Во-первых, большинство журналистов, писавших о катастрофе,— Александр Николаевич плеснул в чистый стакан янтарную жидкость из второго графинчика,— недоумки: обсасывали идиотические версии поражения лодки выпущенной с нашего же корабля ракетой и столкновения с америкосом, вместо того чтобы немного подумать головой. Расширить кругозор, так сказать... Во-вторых, есть вероятность того, что на «Адмирале Молотобойцеве» никто ничего не заметил. Факта столкновения, я имею в виду. Удар лодки о дно был зафиксирован гидроакустиками нескольких кораблей, здесь сомнений нет. Но то ли они не поняли, что произошло, то ли вся информация об этом была сначала закрыта, а потом изменена или уничтожена...

— Погоди,— остановил отца Рыбаков-младший.— Как это на крейсере «не заметили»? Чай, не резиновую лодку подмяли...

— А для такой махины, как «Молотобойцев», что «Мценск», что прогулочный катер,— все едино,— спокойно отреагировал доктор химических наук.— Особенно если удар прошел по касательной. При сумасшедшей инерции огромной массы краткое соприкосновение с меньшим объектом оказывает весьма незначительное влияние на амплитуду движения. Считай сам. Волнение в три балла, что было в тот день,— это волна в полтора-два метра. Причем волна довольно пологая, так как дно ровное, но длинная. Крейсер, соответственно, качало минимум метра на два вверх-вниз относительно носа и кормы. Плюс небольшая боковая качка. И вот в какую-то секунду один из боковых килей задевает нос всплывающей лодки. Подлодка, конечно, тоже имеет большие массу и инерцию, но полностью погружена в воду, и на нее в полной мере действует сила старика Архимеда. Так как оба объекта имеют какую-то скорость и идут не перпендикулярными курсами, касание занимает секунду-две и особого влияния на растянутую продольную качку крейсера не оказывает. Ну, максимум, изменит амплитуду на несколько сантиметров. Чего никто не заметит... Касание – это и есть то самое первое акустическое явление, которое выдают за взрыв двигателя торпеды в аппарате. Лодка, разумеется, отбивается от крейсера вниз, как мячик, и впиливается в дно. Вот тебе второе акустическое явление, гораздо более сильное, чем первое, и более продолжительное... Когда тринадцать тысяч тонн железа на скорости пять— семь километров в час влетают в твердое препятствие, коим является скальный грунт, звук будет очень сильным, эквивалентным мощному взрыву. Ведь что измеряют сейсмологи? – Александр Николаевич сделал глоток, смакуя винцо.— Они измеряют силу сотрясения и считают ее по шкале Рихтера. А сила – штука довольно абстрактная. Многое зависит от объектов приложения и вызывающих взаимодействие причин. Можно столкнуть два объекта, взорвать некий заряд, произвести комплексное воздействие, шарахнуть низкочастотным импульсом. Да много чего еще... На большом расстоянии причины силовых взаимодействий не всегда точно определяются. Это как землетрясение или подземный атомный взрыв. Картины весьма похожи. В свое время нам янкесы несколько раз делали предупреждения о недопустимости нарушения моратория на подземные ядерные испытания, путая их с реально происходившими в Средней Азии землетрясениями. Как, кстати, и наши неоднократно ошибались... Так что ссылки на сейсмологов, которые якобы точно зафиксировали некие подводные взрывы, должны оцениваться критически. Они зафиксировали события, могущие быть взрывами, но не обязательно бывшие таковыми.

— А гидроакустики на самом крейсере? Они-то должны были слышать удар и скрежет...

— Это в том случае, если аппаратура была включена, исправно работала и кто-то был на посту, а не болтался в это время в кубрике у приятелей... Основной корабль ордера прикрывают со всех сторон другие корабли и лодки, так что на самом флагмане частенько на все забивают и царит примитивный бардак. Если же в этот день на «Молотобойцеве» было командование флота, о чем проскакивала информация, то большинство экипажа было занято не исполнением прямых обязанностей, а хозяйственными работами: подметали коридоры, следили за заправкой коечек, драили гальюны... У нас же адмиралы и прочая штабная сволочь в основном придираются не к боевой службе, а к понятным им мелочам. Служба для них заключается во внешнем виде матроса, чистоте палубы и соответствии количества продуктов в котле утвержденным нормам. Это, конечно, немаловажно, но к выполнению боевой задачи отношение имеет опосредованное,— Рыбаков-старший сделал еще глоток.

— Ты так сопьешься, если каждую бутылку дегустировать будешь,— вскользь отметил не всегда почтительный сын.

— Не боись,— доктор химических наук отставил стакан.— Я не веселья ради, а эксперимента для... Итак, продолжим. Днища больших кораблей, что участвовали в маневрах, никто не проверял...

— Но говорили же...

— Мало ли что говорили! — прервал отпрыска Александр Николаевич.— Водолазные команды были стянуты к месту аварии, «Молотобойцевым» никто не занимался. Он вообще ушел неизвестно куда. Рядом со спасателями «Петр Великий» торчал... Про «Молотобойцева» вообще начали вспоминать только недели через две. Как, кстати, и про большой противолодочник «Адмирал Пастухович». В принципе, тоже возможный виновник столкновения. Масса позволяет... Но во всей этой истории технические нюансы — не главное. Основное — моральные. Когда комфлота, допустившего подобную катастрофу, вместо тюремной камеры отправляют сенатором в Совет Федерации, начштаба того же флота не засовывают в лагерь, а назначают помощником представителя президента, это говорит о том, что в стране полный развал. Глава государства настолько слаб, что не может наказать явных виновников трагедии и не способен добиться честного расследования.

— Думаешь, он знает правду?

— Черт его разберет,— Рыбаков-старший погрустнел.— Может — знает, может — нет... ГРУ и ФСБ должны были, конечно, ему доложить. Но дошли ли доклады непосредственно до президента, не стопорнули ли их на уровне референтов, выгодно ли начальникам этих ведомств ссориться с генпрокурором — мы не знаем. На том уровне политики, где вращаются министры и президенты, значение имеет выгода взаимоотношений, а не честность. И уж тем более — не жизни единиц электората. В статистическом плане сто восемнадцать погибших моряков или несколько тысяч убитых в Чечне российских солдат и членов их семей никакого влияния ни на что не оказывают и на результатах выборов не отражаются.

— Печально.

— Конечно, печально,— согласился доктор наук.— Однако сие есть объективная реальность...

— А ты с флотскими много общался? — поинтересовался Денис.

— Достаточно.

— Химоружие им делал?

— Не совсем,— Александр Николаевич улыбнулся.— С топливом для одной хитрой ракеты возились. Сейчас уже можно рассказать... В общем, где-то в семидесятых годах какой-то «светлой голове» то ли в Политбюро, то ли в Генштабе пришла идейка о заброске наших диверсантов на территорию Штатов путем помещения их внутрь ракетной боеголовки.

— Это как?! — удивился Рыбаков-младший.

— О-о, эта история достойна целого романа! — Бывший химик окончательно развеселился.— Если коротко, то диверсанта вознамерились затолкать в ракету и пальнуть ею с подлодки. Такой мини-Гагарин... В конце траектории, уже над территорией противника, боеголовка должна была раскрыться и наш храбрец из нее выпадал.

— На парашюте, что ли?

— Бери выше! Не на парашюте, а на складном дельтаплане! И скрытно подлетал бы к объекту диверсии... Здравое зерно в этом безумии было, однако небольшое. Проще было бы просто ракетой шарахнуть, раз уж выпускалась. Но задачу поставили однозначную — запустить человека... При этом никто не думал о том, что неподалеку от места высадки диверсанта хлопнутся обломки ракеты с клеймом «Сделано в СССР», что запуск засекут, что после такого полета пилот вряд ли будет способен на какие-либо самостоятельные действия, и прочее. Приказ отдали — и вперед. Вот мы и ухлопали год на разработку топлива, которое вело бы ракету мягко, не превышая безопасного для человека ускорения.

— И как, были настоящие пробные полеты?

— Были. Правда, до пальбы из подводного положения не дошло, стреляли на полигоне... В целом эксперименты закончились успешно. Куклы выпадали из боеголовок точно в назначенное время, да и нагрузки были приемлемыми. Но подвели смежники, складной дельтаплан так и не сделали. А когда мы решили перейти ко второй фазе и попробовать пульнуть живым человечком с парашютом, программу прикрыли. По слухам, тот орел, что ее придумал, оказался психом. Его вроде с коллегии Минобороны сразу в дурдом отправили, когда он выступил с очередным гениальным планом сделать бомбу, которая взрывается три раза подряд...

* * *

— Аркаша! — Вазелиныч [1] пихнул Глюка локтем в бок.— Вон он, этот Подмышкин! С каким-то штрихом базарит!

Клюгенштейн отвлекся от управления своей золотистой «Acura MDX», которую он пытался впихнуть между троллейбусом и груженным песком огромным самосвалом, невесть как оказавшимся в центре города, и повернул голову направо.

— Где?

— Да вон же, вон! — Молодой браток начал тыкать пальцем в двух субъектов, о чем-то беседующих в тени Ростральной колонны.

Аркадий оглядел парочку.

Коротышка в обтягивающем его тельце, как презерватив, белом кожаном плаще что-то втолковывал унылому молодому мужчине, лицо которого выражало явную скуку. Недомерок подпрыгивал

[1] *Вазелиныч* — Павел Молодцов.

на месте, размахивал руками и указывал своему визави на бастионы Петропавловской крепости.

Рядом с парочкой застыли два «мерседеса»: ярко-красный Е-класса, с украшенной надписью «320 4-matic» крышкой багажника, и черный S-класса, за рулем которого сидел мрачный водитель.

— Хм-м,— Клюгенштейн прищурился.— Подмышкин, насколько я понимаю, в белом. И не жарко ему...

— Ага! А как ты догадался?

— Просто второй штрих — Андрюша Лиходей, генеральный директор «Питер-Энерго»,— Глюк вернулся к прерванному занятию и смог-таки протиснуться в образовавшийся просвет между машинами.— Были у нас связанные с ним дела, так что в харьку я его знаю... Интере-есно, блин.

— Что интересно? — не понял Молодцов.

— То, что Подмышкину нужно от Лиходея. Хотя, если по твоим словам судить, Никодимушка — дерьмецо изрядное. Так что они друг друга стоят...

* * *

Андрей Никифорович Лиходей до момента своего прихода в «Питер-Энерго» успел много чем поуправлять, много чего развалить и нарубить изрядно капусты, в течение полутора лет возглавляя Комитет по управлению городским имуществом.

Закончив матмех тогда еще Ленинградского университета, Лиходей чуть больше года поработал по специальности в научно-производственном объединении «Электричество и автоматика», дабы обозначить требуемую в те времена для нормального карьерного роста «веху трудовой деятельности». Там он в основном драл глотку на партийных и профсоюзных собраниях, но и о себе, любимом, не забыл: зарегистрировал при родном предприятии «молодежный кооперативный центр», перетащил туда половину основных фондов НПО и тихо слинял из КПСС, когда членство в ней вышло из моды.

Первая фирма Лиходея просуществовала недолго, и все потому, что организационные способности математика Андрюши оказались даже ниже уровня барыги из Закавказья, управляющего тремя овощными ларьками где-нибудь на Сытном рынке. Лиходей набрал совершенно непрофессиональный штат сотрудников, самолично расписал идиотский план работы, основанный на принципах математической, а не житейской логики, вложил оборотные средства в акции финансовых пирамид и благополучно похоронил кооперативный центр под обломками госпрограммы по либерализации цен.

Потом были вторая, третья и четвертая фирмы, сгинувшие так же бесславно, как и первая.

Через год после отправки в самостоятельное плавание по бурным волнам российской коммерции голодный и скрывающийся от обозленных кредиторов Лиходей был найден своим бывшим куратором из идеологического управления КГБ, которому студент Андрюша постукивал еще в Университете, и приглашен на встречу, в корне изменившую жизнь экс-математика.

На переговорах в маленьком кафе на окраине города Андрею Никифоровичу было сделано предложение, от которого он не смог отказаться. В обмен на его согласие баллотироваться в Совет народных депутатов одного из районов Санкт-Петербурга и в дальнейшем исполнять все поручения своих благодетелей Лиходею прощались долги, а его кредиторам возмещались убытки.

Затравленный бизнесмен-неудачник с восторгом затряс головой, не глядя подписал какие-то бумаги и уже через две недели, отъевшийся, гладко выбритый и в хорошем темно-синем костюме, выступал на предвыборном митинге во Дворце культуры имени Ленсовета.

Как благодетели и обещали, в депутаты он прошел.

И даже возглавил постоянную комиссию по вопросам предпринимательской деятельности, служившую стоявшим за его спиной коммерсантам ширмой для разборок с конкурентами и неплохим рычагом давления на муниципальные власти в вопросах распределения собственности. На госслужбе неумение Лиходея организовать даже субботник по уборке подведомственной территории в глаза не бросалось – в бюрократическом аппарате половина таких же бездарей, и восхождение Андрея Никифоровича по карьерной лестнице ничуть не притормаживалось.

Отбарабанив депутатом, он затем три года поработал в должности начальника районного КУГИ, приложил лапку к разработке довольно бессмысленного документа со звучным названием «Концепция управления недвижимостью», пару лет повозглавлял администрацию Петродворцово-Павловского района, после чего тот стал самым бедным из всех питерских районов и городскому правительству пришлось принимать экстренные меры к исправлению ситуации, и наконец пошел на повышение – стал заместителем самого известного после «Рыжего Прихватизатора» питерского ворюги Михаила Муркевича.

Звездный час для Лиходея наступил в тот момент, когда его шефа случайно пристрелили на углу улицы Рубинштейна и Невского проспекта. Муркевича хотели просто попугать, но водитель неудачно дернул машину, и прошившие крышу служебной «Вольво-940» пули поставили жирную точку в короткой и далеко не праведной жизни председателя городского КУГИ.

Окрыленный внезапно открывшимися перспективами Андрей Никифорович бросился хапать.

Он за бесценок распродал склады морского порта и капониры железнодорожной станции Горская, являвшейся одним из наиболее перспективных транспортных узлов Санкт-Петербурга, наподписывал массу распоряжений о передаче фиктивным конторам подвальных помещений и чердаков в центре города, довел до конца начатое еще его покойным боссом дельце «Ленфинторга», в результате чего бюджет Северной столицы потерял огромные деньги. Личные же счета Лиходея пополнились на семнадцать с половиной миллионов долларов, размещенных в банках Бельгии, Великобритании и в пресловутом «Бони».

Правда, долго в начальниках КУГИ он не засиделся.

Хлебное местечко предназначалось другому приятелю ставшего уже московским чиновником Рыжего, и Лиходею в качестве отступного сунули пост главы «Питер-Энерго». Андрей Никифорович для порядка поотказывался, получил строгое внушение со стороны своих негласных хозяев, вступил в должность и принялся активно разваливать систему энергоснабжения города, опять ошибочно посчитав себя «талантливым организатором» и восприняв словосочетание «повышение тарифов» как единственное руководство к действию.

При «Питер-Энерго» мгновенно возникло множество фирм и фирмочек, единственной задачей которых была перепродажа весьма дешевого электричества с ЛАЭС и направление маржи [1] на счета оффшорных компаний в Грецию и на Кипр. С каждого рубля прибыли «Питер-Энерго» Лиходей имел свои семь копеек, и его это очень устраивало.

Но не устраивало губернатора, акционеров промышленных предприятий, среди которых были и заслуженные питерские братки, комендантов военных объектов и простых горожан.

На разных уровнях Андрея Никифоровича стали предупреждать о том, чтобы он не борзел и подумал о снижении аппетитов своего ведомства. Разок ему даже отвесили по хлебалу в подъезде его

[1] *Маржа* – разница между себестоимостью товара и его отпускной ценой.

собственного дома двое угрюмых майоров из мотострелковой бригады, чей военный городок по милости Лиходея вот уже три месяца сидел без света. И это несмотря на то, что счета были оплачены на полгода вперед. Однако суммы были так «проиндексированы» в расчетном отделе «Питер-Энерго», что бригада из добросовестного плательщика превратилась в злостного должника.

Но Лиходей уже не мог остановиться и, вместо того чтобы правильно понять вынесенное порицание в виде сочного бланша под правым глазом, закусил удила, переехал на дачу, обзавелся дополнительной охраной и опять заверещал о повышении тарифов — в третий раз за прошедшие с начала года семь месяцев.

Плюс ко всему в его буйной головушке родилась идея баллотироваться в губернаторы, коей он поделился с опекавшими его московскими бонзами.

Неожиданно идея была одобрена не только покровителями Андрея Никифоровича, но и Рыжим и его прихлебателями.

Самому «приватизатору» на выборах ничего не светило, электорат прокатил бы его со свистом, Лиходей же был управляем, как тамагочи. Главное, нужно было его вовремя подкармливать и периодически прибирать за ним, уничтожая продукты жизнедеятельности в виде постоянно оставляемых им следов незаконных коммерческих сделок. А в остальном — губернатором он бы мог стать ничем не хуже приснопамятного Толика Стульчака, при котором растащили по сусекам почти половину городского имущества.

Продвижение Андрея Никифоровича на пост питерского градоначальника взяли на себя московские политтехнологи, совершенно справедливо полагая, что ежели за дело возьмется сам Лиходей, то он непременно провалит всю избирательную кампанию и ухнет в никуда выделенные на нее деньги.

Однако самонадеянный гендиректор «Питер-Энерго» не пожелал быть просто пешкой в руках Рыжего и К°. Втайне от приставленных к нему политтехнологов экс-математик развил свою собственную предвыборную деятельность, должную, как ему казалось, «поспособствовать» успеху и привести к «неоспоримой победе». Лиходей проплатил тупые агитки на страницах газет «Секретный советчикъ», «Невское семя» и «Час треф», в которых повышение тарифов на электричество выдавалось за путь к процветанию города, несколько раз выступил в прямом эфире региональных каналов, критикуя все выдвинутые действующим губернатором программы строительства жилья и ремонта дорог, и подписал договор с типографией на печать десяти миллионов нужных ему листовок, текст которых ему пообещал сочинить знакомый автор бардовских песен.

Но все вышеперечисленное было довольно стандартным и, по мнению Андрея Никифоровича, мелковатым. Так действовали все кандидаты.

Предприняв мозговой штурм, в процессе которого Лиходей сосал виски «Johny Walker red Label» и атаковал свое собственное серое вещество, гендиректор «Питер-Энерго» пришел к показавшейся ему гениальной мысли запечатлеть свой образ в большом кино и тем самым обставить других претендентов на губернаторское кресло.

Андрей Никифорович поводил жалом, быстро обнаружил кинокомпанию «Акын-фильм», снимавшую телесериалы по заказу ОРТ, и вступил в контакт с ее владельцем Никодимом Авдеевичем Подмышкиным.

В общем, два придурка нашли друг друга.

Подмышкин с энтузиазмом воспринял предложение Лиходея и тут же предложил тому ввести персонаж «супермужественного главы питерской энергетической компании» в сюжет снимаемого им боевика с незатейливым названием «Герои русского спецназа». Сценарий фильма был так же прямолинеен, как и рабочее наименование фильма. Группа чеченских террористов по заказу лидера «Талибана» шейха Омара ибн Гюльчатая собиралась взорвать в центре Санкт-Петербурга украденный с близлежащей военной базы ядерный заряд, тем самым срывая празднование трехсотлетия города. Разумеется, что главным объектом покушения был президент России, прибывший на берега Невы для участия в торжественных мероприятиях.

Прогиб перед кремлевской властью был настолько очевиден, что фильм заранее был обречен на успех и прокат по всем центральным телеканалам. Причем не по одному разу.

Герой, прототипом которого и должен был послужить гражданин Лиходей, срывал все планы террористов путем отключения электропитания центра города и тем самым обесточивания цепи детонаторов бомбы. Террористы были столь тупы, что аккумуляторов и иных запасных источников энергии не предусмотрели и подсоединяли ядерное устройство к обычнейшей бытовой розетке.

Вернее, тупым был сам Подмышкин, выступивший в качестве автора сценария «Героев русского спецназа».

Андрею Никифоровичу, однако, задумка понравилась, и он согласился частично профинансировать съемку «блокбастера», при условии, что тот появится на экранах не позднее чем за год до выборов губернатора...

— А вот там помчатся аква-мотоциклы со спецназовцами! — владелец «Акын-фильма» широко взмахнул рукой, указывая на водную гладь между Стрелкой Васильевского острова и Петропавловской крепостью.— Потом — ба-бах! Взрывы, спецэффекты, дым. И тут мы показываем вашего героя — в белом костюме, наблюдающего за этой картиной из окна розового «роллс-ройса»!

— «Роллс-ройс» не надо,— поморщился Лиходей.— Не стоит раздражать зрителя.

— Хорошо. Тогда — «кадиллак» или «линкольн»,— Подмышкин, сам не представлявший, где взять «роллс-ройс» столь необычного колера, легко пошел на попятную.

— И розовый цвет...— Андрей Никифорович замялся.

— Розовый — обязательно! — Коротышка-продюсер подпрыгнул на месте.— Это подчеркнет чистоту ваших помыслов!

— Ну, если подчеркнет...

— Несомненно! — воскликнул Никодим Авдеевич.— Это мое ноу-хау! А теперь пройдемте к воде, я вам покажу место, с которого ваш герой в финале будет смотреть на праздничный салют...

* * *

Вазелиныч проследил взглядом за направившимися к спуску гранитной набережной Подмышкиным и Лиходеем и повернулся к задумчивому Клюгенштейну.

«Поэт в России больше, чем поэт в Корее, утверждают антропологи,— бархатным голосом сказал диктор „Азии-минус“.— В связи с этим предлагаем вам послушать новые стихи постоянного участника нашей вечерней программы „Антимусор-шоу“ Васи Кувалды. Итак, встречайте...»

Аркадий уменьшил громкость магнитолы и выщелкнул сигарету из пачки.

— Когда с Кугелем, блин, вопрос решим, надо Лиходейчиком заняться,— молвил достопочтенный братан.— Он нам еще должен остался...

— Много? — заинтересовался Паша.

— Им Антифашист[1] занимался,— Глюк пожал широченными плечами.— Он точную сумму знает. Тонн двести зелени, по-моему. Надо, блин, напомнить. И настоять, чтоб расплатился.

— Само собой,— согласился Молодцов.

---

[1] *Антифашист* — Дмитрий Белинский.

Глава 6

ЕСЛИ ХОЧЕШЬ БЫТЬ ЗДОРОВ, УБЕГАЙ ОТ МУСОРОВ

Когда прокурор Санкт-Петербурга Иван Израилевич Сыдорчук только родился, он был таким страшненьким, что хирург, осмотрев извлеченного на свет Божий младенца Ваню, повернулся к акушерам и сказал: „Если ЭТО шевельнется – стреляйте! “

Из биографии И. И. Сыдорчука, опубликованной на сайте www.real-bazar.spb.dengi.est.russ

Телефонный звонок «лаборанта Фишмана», назначившего время и примерное место обмена товара на деньги, прозвучал для Кугельмана со товарищи столь же неожиданно, как несколько тысяч лет назад для их далеких предков – приказ фараона выметаться из Египта.

Что творилось на самом деле в те стародавние времена в верховьях Нила, исторические хроники, включая Библию, описывают довольно скупо и противоречиво. Ясно лишь одно: иудейские ростовщики так «достали» простых египтян и их высокое руководство в лице жрецов и фараона, что последний дал им сутки на сборы и приказал убираться в пустыню. Соломоново племя радостно бродило там не один десяток лет, видимо, налаживая торговые отношения с бедуинами и подыскивая себе местечко погостеприимнее, чем Каир и его окрестности. Когда помер последний из тех, кто еще помнил исход и причины его возникновения, древние иудеи быстро выдумали легенду о преследовании себя по национальному признаку, осели где-то на территориях современных Иордании, Сирии и Палестины и вернулись к любимому промыслу, ссуживая деньги окружавшим их гоям и регулярно повышая проценты по кредитам. За что их в дальнейшем также неоднократно били и выгоняли с насиженных мест.

Ибо излишних жадности и борзости не любит никто...

«Фишман» оказался немного умнее, чем рассчитывали генеральный директор «Семисвечника» и его израильские партнеры.

Продавец ядерного устройства не назвал окончательное место встречи, а приказал покупателям быть с деньгами в определенной точке, а именно — возле конкретной деревни в Ленинградской области, в определенное время, и ждать там звонка по мобильному телефону, чтобы узнать о дальнейшем маршруте к месту сделки. На подготовку и согласование своих действий «лаборант» отвел Абраму Мульевичу с компаньонами четыре часа.

Кугельман чуть не поседел окончательно, дозваниваясь до Пейсикова, Гуревича и Плодожорова.

Сложнее всего оказалось отыскать Захара Сосуновича, так как тот принимал участие в дележке вещей, привезенных с обыска на квартире одного бизнесмена, отключил свой мобильник и стал доступен лишь за два часа до встречи.

* * *

— Райончик у нас еще тот,— Ла Шене [1] поудобнее устроился на брошенном под кустом матраце и набросил кусок тонкой бежевой холстины на ствол лежавшей от него по правую руку швейцарской винтовки «SG 510-4».— Окружен со всех сторон вольерами с гиббонами [2], где эти приматы резвятся, обирая автолюбителей. Но не о них сейчас речь. Главное, что, отдавая все силы любимому делу пресечения правонарушений в радиусе десяти метров от своих будок, гиббоны оставляют район на откуп местным жителям. Получается что-то типа заповедника... В итоге по району народ ездит даже не по понятиям, не говоря уже о правилах, а кто как умеет или как может, в зависимости от состояния организма.

— Нехорошо.— Парашютист оторвался от шестнадцатикратного цейсовского бинокля, посредством которого он обозревал окрестности, и укоризненно покачал головой.

— Однако такова суровая, блин, реальность,— со вздохом констатировал Берсон и продолжил: — Прошлой зимой просыпаюсь я как-то под

---

[1] *Ла Шене* — Игорь Берсон.

[2] *Гиббон* — сотрудник госавтоинспекции *(жарг.)*.

вечер в субботу и осознаю, что мое астральное тело испытывает некоторый дискомфорт. Хочет пива и сигаретку. Дело было после дня варенья Кабаныча...

— Тогда понятно,— согласился Тулип [1], сам плохо помнивший те несколько суток, что шли непосредственно за вышеупомянутым знаменательным событием.

— В общем, сползаю с кровати, одеваюсь и тихо иду в магазин. А дом наш стоит, типа, на холме. Магазин с вожделенными продуктами находится под горкой. На горке же — традиционное место стоянки машин тех хозяев, кто не смог пристроить машину у своего подъезда. В наше время это весьма непросто... Под горкой идут трубы теплотрассы.— Ла Шене задумчиво закурил.— Ну, подхожу к трубам и отмечаю припарковавшийся около них «Жигуль» с очень знакомыми номерами. Короче, машина соседа моего, Сереги. Спустя некоторое время соображаю, что в самом «Жигуле» припаркован впридачу и сосед. Причем более пристальный осмотр места парковки дает как минимум еще два повода для размышления. Первый: капот «Жигуля» смят в гармонь, решетка радиатора вогнута внутрь, и вообще все это напоминает не парковку, а натуральную аварию. Второе: сосед в машине недвижим. Температура на улице где-то минус двадцать...

— Дык январь же.— Парашютист припомнил месяц рождения Кабаныча.

---

[1] *Тулип* — Сергей Александров.

— То-то и оно! — оживленно закивал Берсон.— В «Жигуле» движок не работает. Налицо критическая ситуация, требующая немедленных действий. Дергаю дверь со стороны соседа — закрыто. На стук не откликается, признаков жизни не подает. Делать нечего — надо спасать человека... Нахожу тяжелый кусок трубы, обхожу машину и выбиваю боковое стекло. Бросаю трубу, открываю изнутри дверь, вытаскиваю соседа. Дышит, блин, ножонками сучит, но не просыпается. Матерюсь и тащу уже слегка покрытую инеем тушку в гору. Вношу в подъезд, звоню в квартиру и сдаю с рук на руки представительной делегации в составе Серегиных тестя, тещи, жены и малолетней дочери... Восторг присутствующих не описать словами. Пожелав больному скорейшего выздоровления и получив от его жены заверения, что когда Сергей проснется, то обязательно зайдет поблагодарить, если не помешает гипс и пара сотрясений его безмозглой черепной коробки, которые он, несомненно, получит после разбора полетов, отбываю за пивом и куревом. По дороге, аккуратно прикрыв вынесенное мной стекло полиэтиленовым пакетом, выдергиваю забытые в суматохе ключи из замка, магнитолу, барсетку и закрываю дверь. Задумываюсь... Ход мыслей примерно следующий. Ключи в замке — следовательно, сигнализация выключена, центральный замок, соответственно, тоже. Понимаю, что после того, как не открылась дверь со стороны водителя, стоило хотя бы потянуть дверцу с другой стороны, а не махать трубами по стеклам. Обхожу машину и вижу, что действительно погорячился, —

дверца не закрыта. Матерюсь, списываю все на больную голову и стрессовую ситуацию, пинаю ногой колесо и через пять секунд обнаруживаю, что лежу, уткнувшись, блин, мордой в снег... Подъехавший незаметно «воронок» исторг из своих недр пару представителей внутренних органов, один из которых с удобством устроился у меня на спине и бодро шарит по моим карманам.

— Это они умеют,— изрек Тулип.

— В общем, когда меня поднимают и дают возможность визуально оценить обстановку, я вижу двух мусорят с мрачными лицами и «калашами», магнитолу и ключи от машины соседа на капоте его «Жигулей», разбитое стекло и просто летящего над сугробами старичка-активиста, орущего что-то вроде: «Я все видел! Я свидетель! Я покажу, куда он спрятал труп!» Менты внимательно оглядываются — машина, стекло, вещи, труба — и начинают как-то совсем недобро на меня смотреть. Старичок не унимается... Типа, щас покажу, куда тело понес, вон в тот подъезд. Идем в подъезд, менты лезут под лестницу, но оттуда уже выныривает дед — тела нет. Дедок, блин, аж заливается: «Он его, наверное, в лифтовую шахту сбросил!». Поднимают лифт на второй этаж, разжимают двери, зырят вниз — там тела тоже нет. Ладно, говорю, тело на четвертом этаже... Приезжаем на четвертый этаж. Дед уже на месте крутится — тела нет. Молча показываю на дверь квартиры. Менты, передернув затворы, звонят. Открывает теща соседа и сразу же несется внутрь квартиры. Менты рвутся вперед, как стадо бизонов. Жена соседа и его тесть ложатся на ковер.

Короче, поиски тела в самом разгаре. Я, соответственно, стою в коридоре с повисшим на мне дедом, оглядываюсь и даю ценный совет посмотреть в ванной. Предвкушая вид расчлененного трупа, один мент рвется в двери санузла, а второй держит ситуацию под прицелом. После непродолжительной паузы из ванной доносится дикий мат. Оттуда выскакивает мокрый ментяра и с угрозой смотрит на меня. Я смотрю на второго мента и надеюсь, что с нервами у того все в порядке. Тот мусор, который мокрый, хватает деда и сует в ванную. Слышу разговор: «Тот?» — «Нет, не тот. Тот одетый был».— «Да ты посмотри повнимательней!» Пауза. Голос соседа: «Да я вас всех в гробу видал! Пшли вон, уроды! Я вам щас покажу повнимательней!» Выходят... Блеяние и мычание продолжаются еще минут пять, потом менты возвращают конфискованное, забирают деда, пообещав не возвращать, пока тот не поумнеет. Из ванной выползает красный, распаренный Серега в полотенце и ревет: «Ну, кому тут еще показать чего, чтоб присмотрелись повнимательнее!» В общем, с тех пор его «эксгибиционистом» кличут.

— А что с машиной-то было? — поинтересовался Философ [1].

— Да ничего,— Ла Шене пожал плечами.— Серега забыл ее на ручник поставить, заснул, та с горкито и съехала. В трубы, блин...

— Со мной был аналогичный случай,— неожиданно отозвался Тулип.— На даче... Шел я как-то

[1] *Философ* — Ростислав Фрид.

домой поздно ночью, и тут мне жутко приспичило. Живот чуть не разорвало. Ну, я перемахнул через забор чьего-то участка и расположился в кустах. Когда закончил дело, захотелось мне взглянуть на результат. Короче, повернулся и был сильно удивлен, не увидев никакого результата. Посмотрел на штаны — чистые. Опять осмотрел место — ничего. Заинтригованный, пошел домой. Весь следующий день я не мог забыть об этом странном случае... Вечером, взяв для отмазки пятерых соседских детей, пошел на лужайку рядом с местом вчерашнего происшествия. Типа, поиграть в футбол. Там я «случайно» забросил мяч за забор и открыто перелез на чужую территорию, где начал шарить по кустам. Тут меня окликнул хозяин: «Ты че здесь делаешь?» «Да вот,— говорю,— мяч ищу. В чем проблема-то?» «Ну,— грит,— мяч — это понятно. А то тут люди странные шататься начали. Вон, вчера ночью какой-то идиот нагадил на черепаху моего сына...»

— Сережа,— после полуминутного размышления спросил Парашютист,— а почему твой случай аналогичный?..

* * *

Начальник ОУРа тридцать пятого РОВД майор Балаболко повертел в руках только что доставленный курьером конверт с несколькими грозными штампами «Для служебного пользования» и исходящим адресом питерского Главка и еще раз ознакомился с новым образцом протокола допроса, составленным в недрах здания на Лиговском проспекте:

«Следователь такой-то, согласно соответствующим статьям Уголовно-процессуального кодекса Российской Федерации, разъяснил обвиняемому его права: знать, в чем он обвиняется и почему именно он; давать, сдавать квартиру внаем; петь блюз и народные бурятские песни; ущемлять права коренных жителей африканского континента и прочей нечисти; высказывать недовольство по поводу выбитых зубов и сломанных ребер; знакомиться с дубинкой конвоира перед началом следственных действий и в процессе всего срока ведения предварительного следствия; обжаловать в суде законность и обоснованность использования его головы в качестве футбольного мяча; знакомиться с протоколами следственных действий, а также с материалами, направляемыми в суд в подтверждение мерзости личности подсудимого с расстояния не менее 458 метров; исполнять народные камбоджийские танцы; мочиться в карман пожилого негра, лежащего в углу камеры; заявлять несогласие с политикой директора ЦРУ; выступать с ходатайством об увеличении продолжительности социальной рекламы по центральному телевидению; находясь под стражей, тихо ныть и жаловаться на тяжелую судьбину, а по окончании предварительного следствия – заказать себе гражданскую панихиду в одном из территориальных храмов на сумму, выделяемую ему всероссийским обществом без вести пропавших; заниматься академической греблей на байдарках и каноэ; смотреть немигающим взглядом на соитие тараканов в казенной баланде; заявлять отвод следователю, адвокату, соответствующей матери, судье, прокурору, Господу Богу и всем остальным, кого он еще в силах вспомнить; участвовать при рассмотрении судьей его жалоб в порядке, предусмотренном статьей 220-2 УПК, и не возмущаться по поводу результатов их рассмотрения; участвовать в судебном разбирательстве в суде первой и последней для него инстанции; защищать свои права и законные интересы средствами и способами, не противоречащими желанию следователя и любого другого лица, предъявившего ему в качестве аргумента тяжелый тупой предмет. Обвиняемый (подозреваемый), содержащийся под стражей в качестве меры пресечения, не вправе иметь свидания с защитником, родственниками и иными лицами, а также вести с ними переписку. Порядок и условия предоставления обвиняемому свиданий и осуществления им переписки определяются курсом доллара, установленного ММВБ, количеством такового в конверте, прилагаемом к прошению, и прочими погодными условиями. Далее обвиняемому разъяснено содержание ст. 47 УПК о том, что защитник иногда, но очень редко допускается к участию в деле с момента предъявления обвинения, а в случае задержания лица, подозреваемого в совершении преступления, или применения к нему меры пресечения в виде заключения под стражу до предъявления обвинения — вообще не допускается ни под каким соусом. По делам о преступлениях, совершенных несовершеннолетними, немыми, глухими, слепыми, тупыми, дебильными, косорылыми, пейсатыми, носатыми и другими лицами, которые в силу своих физических и психических недостатков не могут сами осуществлять ни свое право на защиту, ни каких других своих прав, кроме сдачи пустой стеклотары, а также лиц, не владеющих языком, на котором ведется то, что иногда называется предварительным следствием, участие защитника с момента, указанного в ч. 1 ст. 47 УПК, в отношении лиц, обвиняемых в совершении преступлений, за которые в качестве меры наказания может быть и обязательно будет назначена смертная казнь, вообще не обязательно, так как терять вышеперечисленным лицам все равно уже нечего. Следователь вправе освободить подозреваемого и обвиняемого полностью или частично от оплаты юридической помощи. В этом случае оплата труда защитника производится за счет какого-нибудь дружественного африканского государства, а оплата труда следователя возрастает в геометрической прогрессии, где кратным числом будет являться количество слов, извергаемых прокурором района за единицу времени. Подозреваемый (обвиняемый) не вправе избирать защитника по своему усмотрению. В тех нередких случаях, когда участие в процессе избранного обвиняемым защитника невозможно в течение длительного срока, следователь вправе настоятельно предложить обвиняемому пригласить другого защитника или назначить обвиняемому защитника через коллегию адвокатов, поддерживающую тесный контакт с сотрудниками местного уголовного розыска. Кроме того, допрашиваемый ознакомлен с содержанием ст. ст. 49 и 51 Конституции РФ, повествующих о том, что обвиняемый не обязан доказывать свою невиновность и вообще тратить время впустую; что неустранимые сомнения в виновности лица толкуются далеко не в пользу обвиняемого; что никто не обязан свидетельствовать против себя самого, так как это всегда могут сделать за него: супруг и близкие родственники, которыми в соответствии с п. 9 ст. 34 УПК являются родители, дети, усыновители, усыновленные, родные братья и сестры, дед, бабка, внуки, собутыльники, подельники, сикхские оппортунисты и исламские фундаменталисты, а также супруга. После ознакомления с правами обвиняемый пояснил следующее...»

Текст Илье Георгиевичу понравился.

«Наконец-то и о нас позаботились,– с неожиданной теплотой подумал он, аккуратно сложил лист вчетверо и спрятал в нагрудный карман рубахи.– Надоело работать без регламентирующих документов...»

Майор и не подозревал о том, что письмо было прислано гораздым на выдумку адвокатом Александром Суликовичем Волосатым, поспорившим на бутылку коньяка «Ахтамар» со своим старинным приятелем Андреем Воробьевым. Суть спора заключалась в том, что Волосатый предполагал первое использование нового образца протокола в течение недели с момента его получения, а осторожный Воробьев давал ментам на раскачку целый месяц.

В приоткрывшуюся дверь кабинета просунулась голова капитана Опоросова:

— Георгич, мы отъедем на полчасика?

За спиной оперативника маячили слегка опухшие рожи Пятачкова, Самобытного, Яичко и Пугало.

– Езжайте,– обреченно махнул рукой Балаболко.– Но завтра чтоб как штыки, к девяти утра на работу. Лично проверю.

– Обижаешь, Георгич,– заблеял капитан.– Мы еще сегодня вернемся...

По своему опыту начальник ОУРа знал, что «полчасика» всегда превращается в суточный запой, поэтому ничего не ответил и лишь жестом приказал Опоросову убираться.

* * *

– Готовы? – Денис поправил закрепленную на голове гарнитуру коротковолновой рации.

– Усехда готовы,– пискнул в наушнике голос Паниковского.

Рыбаков повернулся к Ортопеду, Горынычу и Садисту, ложками доедавшими красную икру из девятисотграммовой жестяной банки и закусывавшими свежим лавашом:

– Ну вы нашли время жрать...

– Запас энергии, блин, штука немаловажная,– за всех троих ответил Горыныч.

Денис переключился на частоту Пыха [1], сидевшего в секрете возле пересечения проселочных дорог, куда должны были подъехать купцы.

---

[1] *Пых* – Николай Раевский.

— Коля, как у тебя?

— Нездоровое шевеление в лесочке,— сообщил Пых.

— А именно?

— Минут десять назад подтянулись человек семь или восемь. На двух тачках. По гражданке, но у троих — «калаши». Укороченные.

— Люди Плодожорова? — уточнил Рыбаков.

— Не похоже... Захара среди них нет.

— ФСБ?

— Не, блин, менты... Рожи тупые и пропитые.

Денис почесал у себя за ухом:

— Далеко от дороги?

— Метров триста. Один с монокуляром, цинкует [1].

Рыбаков посмотрел на часы. До приезда Кугельмана с подельниками оставалось полчаса.

— Если что-то начнет происходить, сразу сообщи.

— Ясно.— Пых отключился.

— Прибыли конкуренты Сосуновича.— Денис уселся в плетеное кресло у крылечка.— Люди Пейсикова и Ступор. Чего и следовало ожидать. Главное, чтобы они не начали палить друг в друга раньше, чем мы получим деньги...

* * *

Начальник девятнадцатого отдела милиции подполковник Хлеборезкин заглянул в один ка-

[1] *Цинковать* — наблюдать за окрестностями *(жарг.)*.

бинет, затем во второй, никого не обнаружил и спустился на первый этаж в помещение дежурной части. Там он с грустью обозрел царивший в комнате бардак, редут из пустых пивных бутылок с отбитыми горлышками в углу, валявшегося возле решетки клетки для задержанных в дупель пьяного старшину Быкодоева и осознал, что личный состав вверенного ему отдела опять находится где угодно, но только не на своих рабочих местах.

Двое замызганных бомжей-бухариков, приведенных в околоток еще ночью, с опаской уставились на рассерженного подполковника.

Хлеборезкин обошел стол, за которым, по идее, должен был восседать старшина Быкодоев, и посмотрел на записи в раскрытой книге регистрации происшествий и правонарушений.

С утра милицейский гроссбух пополнился двумя вызовами по поводу бытовых драк, одним сообщением о задержании нарядом ППС торговца анашишкой и накарябанным неизвестной рукой четверостишием, оскорбляющим честь и достоинство стражей порядка. Цензурными в написанных красными чернилами виршах были только существительное «менты», глаголы «ходить» и «махать» и союзы с предлогами.

В книгу регистрации был также вложен обрывок бумажки с нацарапанными карандашом словами: «Ищу пассивного друга для активного отдыха» и номером прямого телефона первого помощника представителя президента по Северо-Западному региону Михаила Яцыка.

Подполковник поднял опрокинутый стул, уселся на него и попытался сообразить, куда подевались все, включая наркодилера, который должен был находиться в клетке.

Метод дедукции, заключавшийся во внимательном перечитывании книги происшествий и сопоставлении записей с реальностью, ничего не дал. Попытаться что-то выяснить у Быкодоева было также бесполезно.

Начальник отделения помассировал ладонями виски.

Знакомое Хлеборезкину светило нетрадиционной медицины утверждало, что сие действие раскрепощает творческие способности человека и является кратчайшим путем к озарению. Типа, усиливается кровоток, смывающий дурную карму с коры головного мозга, и сознание открывается для прямого контакта со всекосмическими полями. Массировать виски рекомендовалось по семь раз в день, что подполковник и делал, с нетерпением ожидая долгожданного эффекта. Однако просветление никак не наступало. Целитель уговаривал Хлеборезкина немного потерпеть и регулярно стрелял у подполковника деньги на портвейн.

— Слышь, начальник,— забухтел один из задержанных алконавтов.— Долго нам еще тут париться? Трубы горят, мо^чи нет... И в туалет хоцца.

— Заткнись,— коротко рыкнул Хлеборезкин, тщетно пытаясь определить, открылось его сознание для космоса или нет.

Лежавший на полу Быкодоев заворочался, что-то пробурчал сквозь сон и перевернулся со спины на живот, явив взглядам задержанных и начальника отделения свой тыл, украшенный несколькими отпечатками подошв чьих-то ботинок.

«Они меня в гроб вгонят,— с грустью подумал подполковник.— В штате пятьдесят восемь человек, и все пьяницы, халявщики и драчуны... Ни одного нормального. Практиканты спиваются через несколько недель, прикомандированные патрульные — через неделю. Раскрываемость за месяц — ноль процентов. Полный финиш. И еще вечно никого на месте не застать...»

Нервическое состояние Хлеборезкина усугублялось тем, что со дня на день его район должен был подвергнуться проверке московской комиссией, прибывшей по личному указанию министра внутренних дел для оценки криминогенной обстановки на родине действующего президента и качества работы правоохранительных органов.

— Эй, мужик,— раздался за спиной подполковника чей-то хриплый голос.

Начальник девятнадцатого отдела удивленно обернулся и уставился на стоявшего за открытым настежь окном небритого субъекта в замызганной тельняшке. Субъект переминался с ноги на ногу и теребил в руках кепку.

— Мужик,— сипло повторил прохожий.— Патрончики не продашь?

— Какие патрончики? — тупо спросил Хлеборезкин.

— К «макару».

— Ты в своем уме?

— А чё? — Прохожий поднял брови.

— Здесь же милиция!

— Ну и чё? В первый раз прошу, что ли? Другие не жидятся, продают...

Подполковник поднялся со стула, сделал шаг к окну и закрыл одну из створок.

— Так не продашь? — уныло осведомился субъект.

— Пошел отсюда вон! — Хлеборезкин повысил голос.— Еще раз увижу — будешь в камере ночевать!

— Ну и козел же ты,— обиделся прохожий.— Ладно, потом зайду.

— Что значит «потом»?! — завопил подполковник и просунул руку сквозь прутья решетки, пытаясь схватить своего собеседника за шиворот.

Субъект резво отскочил, показал начальнику отдела покрытый желтым налетом язык, нацепил кепку и не спеша зашагал прочь, засунув руки в карманы вылинявших спортивных штанов с отвисшими коленями.

Хлеборезкин с грохотом закрыл окно, вбил в пазы тугие шпингалеты, погрозил кулаком осклабившимся бухарикам и снова уселся за стол, соображая, что же означал этот визит покупателя патронов.

* * *

— Если строго разбираться, то зоопарк уже давно надо было в тихое место перевести,— заявил Гугуцэ, хоть и не принимавший непосредственного участия в ловле сбежавших из клетки тигров, но немало наслышанный о сей операции по спасению Глюка, Телепуза и их малолетних отпрысков.– Как губер предлагал неоднократно. А у него голова варит... Зверушки, блин, салютов пугаются. Да и тесно им в старых вольерах-то. Плюс машин вокруг до дури, выхлопные газы.

– Это да,– согласился Гоблин.– Об этом уже сто раз писали...

– А я Ваньку Корневича, бывшего директора, знал неплохо,– сказал Тулип.– Я ж в зоопарке три года крутился, когда биологический кружок в школе посещал...

– И чего? – заинтересовался Чернов.

– Ну, штрих он еще тот,– хмыкнул Александров.– Особо мне, блин, история с гориллой запомнилась...

– Поведай,– предложил Гугуцэ.

Тулип поудобнее устроился на сене, сваленном на чердаке полуразвалившегося сарая, где засела группа во главе с Борисом Евгеньевым, и затушил окурок в пустой консервной банке, используемой братками в качестве пепельницы.

– Дело было давно. Ванька тогда еще простым служителем был. Короче, была у нас самка гориллы, а пары к ней не было. Ну и тосковала она чуток, без мужской ласки-то. Ела плохо, особо по клетке не скакала, болела, на служителей бросалась. А заказать животное для зоопарка – целая, понимаешь, проблема. Годы проходят, прежде чем все документы оформляются и дело делается... Ну, про неудовлетворенность гориллы знали, разумеется, все. И в один прекрасный день решили постебаться. Федька Воробейчик предложил, приятель мой из параллельного класса. Щас он в Москве на ОРТ работает, редактор чего-то там крутого. То ли сайта, то ли форума... Рулит, блин, в полный рост. Я у него недавно был. Команда в его отделе собралась — атас полный, если по фамилиям смотреть. Воробейчик, Павлинюк, Страусян и Индюкович. Ну, прямо орнитологическая ферма...

— Ты давай ближе к делу,— напомнил Гугуцэ.

— Ну вот,— продолжил Тулип.— У Федьки классные отношения с одним из замдиректоров были. Они пошушукались и выбрали объектом стёба Корневича. Все, само собой, о шутке знали, кроме Ваньки... В общем, вызвал замдиректора Корневича, усадил за стол, чаем напоил, а потом говорит — так, мол, и так, уважаемый Ваня, проблему с гориллой знаешь, не хотел бы помочь? Тот, разумеется, говорит, что готов послужить родному учреждению, верой и правдой, типа... А чё, мол, делать-то нужно?.. Тогда замдиректора помялся слегка и предлагает — а не исполнишь ли ты, Ваня, разок обязанности горилльего самца? За сто рублей... Деньги по тем временам неплохие, тогда обычный служитель восемьдесят пять рэ получал.

— И что Ваня? — Чернов расплылся в улыбке.

— Обалдел сначала, но потом попросил сутки на размышление. Народ затаил дыхание: не каждый день наблюдаешь размышления человека о том, миловаться ему с обезьяной или нет. А обезьянка-то — ого-го... Килограммов на сто пятьдесят, зубы как медвежий капкан. Гориллы же, если что, ружейный ствол перекусывают... Так вот. До вечера

Корневич ходил в задумчивости, что-то шептал себе под нос, в разговоры почти не вступал, домой утопал, как сомнамбула. С утреца мы с Федькой засели в шкафу в кабинете замдиректора. Поэтому помню все от слова до слова. Свидетель, короче...

— Погоди,— Гоблин достал миниатюрный компьютер «Diamond Mako 250», включил и приготовился записывать.— Давай...

— Ну вот,— Тулип аж прищурился от удовольствия, припоминая удавшуюся шутку.— Входит Корневич, садится перед замдиректором и говорит — я, типа, согласен, но у меня есть три условия... Тот — какие? Ваня достал бумажку и перечислил: первое — в губы с обезьяной он целоваться не будет, второе — чтоб гориллу перед соитием хорошенько помыли из шланга, и третье, главное...— Сергей сделал эффектную паузу: — Сто рублей он сможет отдать только частями, со следующих двух получек!

Хлипкий сарайчик затрясло от хохота шестерых братков.

Спустя несколько секунд в эфир вышел Денис и недовольным голосом осведомился у Гугуцэ, что такого веселого происходит и почему дикое ржанье слышно даже ему, находящемуся в двухстах метрах от точки базирования группы Евгеньева.

* * *

Мизинчик, Циолковский, Тихий и Армагеддонец, в чьи обязанности входило обеспечение безопасности отхода Рыбакова после получения денег, тоже не скучали. В ожидании условного сигнала четверо братков резались в компьютерную стрелялку, усевшись в кружок на палубе одного из трех катеров «Ястреб», покачивавшихся на легкой волне у деревянного причала в километре от места сделки, и соединив в общую сеть свои портативные компьютеры.

Продвинутая игрушка, носившая гордое название «Нереальный ДурнаМент», не была известна, а тем более – доступна, большинству геймеров вне дружного братанского коллектива. Игра представляла собой созданный на движке «Unreal Tournament 2003» шутер, бои в котором происходили на трехмерных картах, являвшихся почти точными копиями помещений питерских отделов милиции, прокуратур и судов, а игроки выбирали оболочку своего бота из предложенных скинов – «мусора», «синего» и «тела в мантии».

Оружие также не походило на традиционное, принятое в большинстве стрелялок.

В списке вооружения были, конечно, пистолет Макарова и автомат Калашникова, но гораздо более действенно работали пустая бутылка из-под портвейна оглушающего действия, резиновые «демократизаторы» разной длины, постановление об обыске, при правильном предъявлении которого противник в мгновение ока лишался всего своего арсенала, и многое другое.

Несмотря на коммерческую привлекательность проекта «Нереальный ДурнаМент», игрушка в продажу не поступала и служила лишь средством расслабления членов бодрого коллектива. Ибо, как однажды выразился начитавшийся Конфуция Антифашист, «Разве не радостно иметь что-нибудь и для души?»

* * *

На перекресток проселочных дорог возле деревни Лосевка покупатели прибыли с трехминутным опозданием, о чем внимательный Пых не поленился сообщить Рыбакову.

Коричневый «Opel Senator» и серенький микроавтобус «Suzuki Liana» остановились у обочины, а сопровождавшие их два громыхавших и чадивших милицейских уазика проехали чуть дальше и встали возле круглосуточного магазинчика, в ассортименте которого присутствовали лишь шоколадные батончики «Марс», молдавское розовое вино в литровых тетрапакетах и четвертинки водки «Яблочная», выпускаемой под патронатом питерского отделения «фруктовой» партии России и называемой в народе «Харчемёт», ибо принятие внутрь сего напитка обычно вызывало безудержную тошноту. Как, впрочем, и прочтение листовок вышеуказанной партии, и прослушивание выступлений их лидера Грини Яблонского.

Из «опеля» вывалились Кугельман и Пейсиков, покрутили головами, осматривая окрестности, и синхронно достали трубки мобильных телефонов.

Распахнулась дверцы «сузуки», и к Абраму с Иудой присоединилось главное действующее лицо сделки – Аарон Гуревич, сопровождаемый своими непременными прихлебателями – Натаном Хитруком и братьями Шимесами – Левой и Мойшей.

До своего убытия на землю обетованную Гуревич успел закончить ленинградский «кулёк», поработать младшим администратором в Мюзикхолле, заведующим гримерным цехом на «Ленфильме» и инструктором горкома партии по вопросам работы с молодежью, получить «засракуля», пройти свидетелем по семи уголовным делам о хищении материальных ценностей, дважды отлежать в больнице после встречи с верными кунаками обманутых Аароном партнеров, разочароваться в семейной жизни с русской женой и побегать от исполнительных листов по алиментам от трех любовниц, коим страстный Гуревич сотворил по киндеру.

Хитрук тоже перебрался в Израиль после начавшихся у него проблем с правоохранительными органами, пытавшимися привязать Натана к дельцу о продаже военных технологий. Тогдашний директор ЛОМО Илья Иосифович Кацнельсон, впоследствии доросший до постов вице-премьера российского правительства и главы министерства по вопросами развития науки и промышленности, поставил торговлю секретами на широкую ногу, подключив к ней практически всех трудившихся на предприятии инженеров определенной национальности. «Пархатая кучка», как на ЛОМО именовали Кацнельсона с товарищами, почти что в открытую налаживала связи с иностранными фирмами, отправляла за рубеж кипы документации, привлекала для «аудиторских проверок» американские конторы и вопила об «антисемитском синдроме» всякий раз, как им указывали на недопустимость подобных действий.

Братья Шимесы – единственные в компании приобретателей ядерного устройства – были коренными израильтянами, хотя и родились в семье эмигрантов. С детства Мойша и Лева страдали небольшим слабоумием, что, однако, не помешало им закончить среднюю школу и даже отслужить в армии, где они были приписаны к батальону аэродромного обслуживания в качестве сантехников...

Гуревич твердой поступью истинного хасида приблизился к гендиректору «Семисвечника» и повелительно взмахнул никогда не знавшей физического труда ручонкой:

– Давай, Абраша, звони...

– Э-э,– заблеял Кугельман,– это не я должен звонить, а мне...

Аарон посмотрел на часы и нахмурился:

– Ну и почему не звонят?

– Н-не знаю,– потупился Абрам Мульевич.

– Наверное, у Фишмана часы отстают,– предположил Пейсиков.

Братья Шимесы недовольно засопели.

– Это не дело,– Гуревич окончательно помрачнел.– Как так можно вести торговлю?

– Русаки,– пренебрежительно сказал Лева Шимес.– Им только водку пить нравится...

– Фишман – не русак,– вяло отреагировал глава «Семисвечника».

Пейсиков сделал вид, что любуется окрестностями, и бросил взгляд на рощицу, где должны были сидеть приглашенные Цилей Моисеевной Ступор менты их девятнадцатого РОВД.

Наличие засады обнаруживалось сразу.

Опершись обеими руками о ствол сосны, на опушке в полусогнутом положении стоял отведавший «Харчемёта» оперуполномоченный старший лейтенант Скрипочка и активно травил, оглашая окрестности утробным рыком.

* * *

— Пора,— Денис взял мобильник и набрал номер Кугельмана.— Абрам Мульевич? Самуил беспокоит... Уже подъехали?.. Отлично... Деньги привезли?.. Замечательно... Тогда слушайте, куда вам дальше...

* * *

«Opel Senator» и «Suzuki Liana», переваливаясь на колдобинах, медленно съехали с гравийной дороги на разбитый, словно после недавнего артобстрела, проселок.

Перед глазами пассажиров этих двух машин раскинулась идиллическая картина почти деревенской жизни, лишь изредка нарушаемая приметами цивилизации в виде парочки спутниковых антеннтарелок на коньках крыш, несущихся из дома на окраине садоводства звуками рэпа и возвышающимися среди кустов смородины и крыжовника биотуалетами с огромными белыми буквами WC на ярко-голубых дверцах.

По причине дневной жары фазендейро в большинстве своем сидели по домам и наслаждались кто холодненьким винцом, кто телесериалами.

Справа от дороги, за три участка от нужного Кугельману с Гуревичем дома лаборанта Фишмана, у сарая с просевшей чуть ли не до земли крышей копошились двое небритых мужичков, облаченных в камуфляжные штаны и выцветшие рубашки военного образца. У одного левая рука висела на перевязи. Мужички вытаскивали из сарайчика серые кривоватые доски и грузили их в кузов древнего микроавтобуса «Volkswagen Т-4» цвета гнилой вишни. По правде говоря, состояние машины соответствовало ее цвету: казалось, что еще пара досок — и микроавтобус со скрипом опустится на подломившихся шаровых опорах к земле, признавая свое поражение перед неумолимым временем.

Слева, скрытая от любопытных взоров густыми зарослями черноплодной рябины, выпивала компания механизаторов, употребляя внутрь местную самогонку и поигрывая в домино, стук костей которого о неструганую столешницу разносился далеко за пределы шести соток, ограниченных ветхим заборчиком.

Абрам Мульевич поерзал в переднем пассажирском кресле и посмотрел на пересевшего в «опель» Гуревича.

— Что? — недовольным тоном спросил Аарон.

— А они успеют?

— Успеют, успеют,— прошипел Гуревич.— Тут ехать-то всего ничего...

Кугельман поежился.

Согласно плану, разработанному сразу после получения координат точки обмена товара на деньги, Плодожоров и остальные менты должны были расположиться на околице и ждать условного сигнала Гуревича, после чего, дав возможность покупателям отъехать на полкилометра, захватить Фишмана с деньгами.

Генеральному директору «Семисвечника» такой расклад не очень понравился. Он предпочел бы, чтобы кто-нибудь из правоохранителей присутствовал непосредственно при сделке, но к его мнению не прислушались. И теперь Абрам Мульевич чувствовал неприятный холодок между лопаток.

«Opel» и «Suzuki» остановились возле калитки одного из садовых участков, в десятке метров от которой возвышался раскрашенный во все цвета радуги одноэтажный фанерный домик.

* * *

— Начинается посадка пассажиров на экстремальный авиарейс «Тель-Авив—Москва»,— пробормотал Гоблин и навел перекрестье оптического прицела на салон серой «Suzuki».

— Почему экстремальный? — шепотом спросил Гугуцэ.

— Потому что сорок минут полета будут проходить в зоне ответственности украинской ПВО,— спокойно ответил Чернов и дослал патрон в патронник винтовки.

Тулип беззвучно затрясся от смеха.

* * *

— Здравствуйте, Сёма,— убитым голосом сказал Кугельман и представил Рыбакову своих спутников.

Церемония знакомства длилась недолго.

«Лаборант Фишман» пожал вялые ладошки Гуревича, обоих Шимесов и приглашенного в качестве эксперта Натана Хитрука и пригласил всех к врытому под сенью раскидистой сливы столу, окруженному невысокими лавками, рядом с которым стояла какая-то накрытая холстиной бочка.

Иудушка Пейсиков и взятый в качестве водителя коммерческий директор «Семисвечника» Григорий Борухович Кац из автомобилей не вышли.

— Деньги привезли? — Денис сразу приступил к делу.

— Мы хотели бы еще раз взглянуть на товар,— осторожно заметил Абрам Мульевич.

— И у нас есть еще ряд вопросов,— встрял Хитрук.

— Вопросы — потом,— Рыбаков внимательно оглядел пятерых иудеев.— Сдается мне, что вы замыслили какую-то пакость...

— Да как вы можете так о нас думать! — вскинулся Кугельман.— Вы же знаете... Да мы всей душой... Да чтоб я!..

— Абрам, я не первый год живу на свете,— прервал гендиректора «Семисвечника» Денис.— И, естественно, подстраховался...

— Давайте не будем переводить беседу в плоскость взаимных подозрений и упреков,— проскрипел Гуревич.— Нам нужен товар, он у вас есть, мы готовы платить деньги.

— Денег я пока не вижу.— Рыбаков постарался, чтобы жадный блеск его глаз был заметен всем присутствующим.

Аарон махнул рукой Пейсикову.

Иуда суетливо выбрался из микроавтобуса, выволок из багажного отделения чемодан, торжественно внес его на участок «Фишмана» и бросил на стол перед Гуревичем. Тот покрутил колесики кодового замка, распахнул крышку и продемонстрировал Денису плотные ряды перетянутых банковскими упаковками пачек.

— Дайте его сюда,— Рыбаков требовательно протянул руку, не делая даже попытки оторвать зад от лавки.

— Но,— Кугельман вытер пот со лба,— где же товар?

— Абрам, что вы волнуетесь? — брезгливо поджал губы продавец ядерного устройства.— Будет вам товар.

— Нет, ну надо же одновременно предъявлять...

Денис стянул холстину с бочки:

— Загляните внутрь.

– Но как мы его оттуда вытащим? – удивился Хитрук, сунувший жало в бочку и узревший матовую крышку контейнера.– Он же полторы сотни кило весит! И гладкий!

Рыбаков молча привстал, взялся за ручку чемодана, подтащил к себе, откинул крышку и надорвал одну из упаковок.

– Что вы делаете? – не понял Гуревич.

– Отвечаю на вопросы в порядке поступления.– Денис спокойно развернул большой черный пластиковый мешок для мусора, до сей поры лежавший в сложенном состоянии на лавке справа от него, и принялся рвать банковские бандерольки на пачках и ссыпать в него стодолларовые купюры.– Бочка без дна, поэтому просто поднимите ее за бока и проверьте товар. Контейнер весит не сто пятьдесят, а всего восемьдесят килограммов. Полтора центнера – это в транспортной упаковке, о которой разговора не было... Делаю же я следующее: проверяю, чтобы мне не подсунули куклу, радиомаячок или химическую ловушку.

– А если бы деньги были меченые, как бы вы проверили? – съязвил Мойша Шимес.

– Так они меченые? – Рыбаков приостановил процесс перекладки денег из чемодана в мешок и исподлобья уставился на Гуревича.

– Заткнись, недоумок! – Аарон от души отвесил Шимесу подзатыльник и приложил правую руку к сердцу, словно клянясь в верности Денису.– Конечно, нет! И никаких маячков никто никуда не ставил.

Судя по тому, как переглянулись Кугельман и Хитрук, радиозакладка в чемодане все же была.

Мойша обиженно засопел, а Рыбаков пожал плечами и вернулся к своему занятию.

Натан с Левой подняли нетяжелое железо, отставили его в сторону и склонились над устройством. Хитрук достал из сумки счетчик Гейгера и поднес к контейнеру. Прибор застрекотал.

— Коды проверки готовности, пожалуйста,— Натан повернулся к Денису.— И ключ.

Рыбаков вынул из нагрудного кармана рубашки небольшой пластиковый конвертик размером с дискету и бросил Хитруку. Затем засунул руку под стол, выдернул из специального паза с обратной стороны столешницы ключ для открытия контейнера и передал его Натану.

Бывший инженер-оборонщик внимательно осмотрел упаковку, подцепил ногтем клапан и осторожно вытянул из конверта маленький прозрачный диск, одна из сторон которого была маркирована длинным рядом цифр.

Потом Натан присел на корточки, вставил ключ, повернул и нажал на кнопку открытия приемного устройства диска.

Внутри контейнера зажужжало, выдвинулся лоток.

Хитрук вложил диск на штатное место и слегка подтолкнул лоток пальцем. Тот с шуршанием втянулся обратно.

С полминуты ничего не происходило.

Наконец, когда измученный ожиданием Кугельман был уже готов закатить истерику и обвинить «Фишмана» в том, что устройство не работает, откинулась панель управления, явившая взорам собравшихся небольшой светящийся желто-зеленым экран, в верхнем правом углу которого мигала надпись «Ввод».

— Пароль ввода, пожалуйста.— Натан поглядел на Дениса.

— Сорок полста ноль шесть.

Хитрук аккуратно нажал на клавиши панели.

Экран на мгновение погас, а затем высветил многостолбцовую таблицу, составленную под чутким руководством Рыбакова-старшего.

Натан удовлетворенно хмыкнул и принялся сравнивать данные на экране с записями на извлеченной из кармана брюк бумажке.

* * *

Майор Плодожоров приложил ладонь козырьком ко лбу и вгляделся в направлении разноцветного домика, выделявшегося на фоне унылых строений поселка.

— Вай-мэ! — воскликнул длинный аки жердь капитан Гия Абубакарович Саранчидзе, поддерживавший вместе со старшим лейтенантом Градусовым Захара Сосуновича под мощный круп.

— Плохо видно.— Сидевший на плечах подчиненных Плодожоров в очередной раз укорил себя за то, что не догадался прихватить бинокль.— Но нам сообщат, когда закончат.

Саранчидзе и Градусов осторожно опустили майора на землю.

7 Зак. 2996

— Может, стоит поближе придвинуться? — спросил дознаватель Пугало, нанятый капитаном Опоросовым в числе прочих сотрудников тридцать пятого РОВД, и икнул.

Захар Сосунович оглядел наспех сколоченную «группу захвата», более всего подходившую для штурма пивного ларька, а отнюдь не для отъема крупной суммы в валюте у неизвестных преступников, незаметно для остальных вздохнул, оценив состояние еле державшихся на ногах старлея Землеройко и ефрейтора Дятлова, и обреченно кивнул:

— Можно и поближе. Только скрытно!

— Обижаешь, Захар,— пробормотал старейший работник пятого отдела ОРБ капитан Скарабеев, славный тем, что сходил за своего даже в самом загаженном наркоманском притоне.— Ни веточки не шелохнется.

* * *

— Оно! — сладострастно выдохнул Хитрук после десятиминутных манипуляций у клавиатуры управляющей панели «ядерного заряда».

Гуревич громко сглотнул.

Рыбаков, окончивший перекладывание денег из чемодана в мешок, придал своему лицу чуть презрительное выражение и с вызовом посмотрел на Кугельмана:

— Вот! А вы, Абрам Мульевич, боялись. И совершенно измучили меня своими ненужными подозрениями.

— Да я что? — Кугельман заерзал на жесткой скамейке.— Я так!.. Не со зла. Деньги большие, мы же друг друга не знали...

— Бросьте! — «Торговец ядерными материалами» брезгливо ухмыльнулся.— Просто это ваш стиль ведения бизнеса. И я таки в следующий раз трижды подумаю, прежде чем давать согласие на исполнение вашего заказа,— последнюю фразу Денис произнес специально для Гуревича.

Аарон намек понял и молча кивнул. Мол, в следующий раз можно будет обратиться напрямую, без посредничества трусливого и чрезмерно корыстолюбивого гендиректора «Семисвечника»...

Кугельман, поглощенный мыслями о грядущем богатстве, выраженном в миллионе долларов за вычетом мелочи для Плодожорова и компании, на переглядывание Рыбакова и Гуревича внимания не обратил.

— Ну, грузите товар,— Денис поднялся со скамьи, подхватил мешок и направился к дому.

Аарон мигнул Шимесам. Те с трудом оторвали стальной контейнер от земли и поволокли к калитке, возле которой уже суетился выбравшийся из машины Пейсиков.

* * *

— Они закончили! — глазастый Саранчидзе первым заметил, что «лаборант Фишман» пошел к дому.

— По коням! — Плодожоров вскочил на подножку уазика и по-чапаевски рубанул воздух ладонью.— Вперед!

Затарахтели изношенные двигатели милицейских «козлов», и две бело-синие «ментовозки» рванули из-за кустов на разбитую дорогу дачного поселка.

* * *

Денис прикрыл за собой входную дверь фанерного домика, запер ее на крюк, сбросил мешок с деньгами в расположенный буквально в тридцати сантиметрах от порога люк и скользнул вниз по гладкому металлическому шесту, похожему на те, что установлены в пожарных частях.

Внизу его подхватили сильные руки Ортопеда.

— Глуши вход! — приказал Рыбаков, отступая к стоявшим в боевой готовности скутерам.

Горыныч и Садист потянули за свисающие с потолка подвала толстые пеньковые тросы, приводившие в движение известную еще со времен фараонов и широко применявшуюся при строительстве гробниц систему закупорки тоннелей и проходов.

Сначала на отверстие с двух сторон упали створки с вырезанными в точности под диаметр шеста полукружиями. Затем раскрылся люк, ведущий на чердак, и оттуда хлынул поток смешанного с гравием и цементом песка. Когда две тонны исходного материала для приготовления бетона ссыпались вниз, Горыныч нажал на кнопку пульта дистанционного управления. На чердаке заработал мощный насос, шланг от которого тянулся в колодец за домом, и пошла заливка смеси.

Ортопед закрепил мешок на багажнике одного из скутеров и взгромоздился на сиденье.

Денис окинул взглядом маленький, освещенный тремя шестидесятиваттными лампочками подвал, удовлетворенно вздохнул, как человек, только что завершивший важную и интересную работу, взялся за руль испанского мини-мотоцикла и вдавил кнопку «start». «Дерби» отозвался рыком и задрожал.

Горыныч с Садистом сели на свои скутера.

Рыбаков включил фару и первым двинулся по тоннелю, ведущему к широкому и давно пересохшему водосбросу.

* * *

Нанятые Кугельманом и Цилей Ступор менты вышли на рубежи атаки одновременно, даже не дождавшись отъезда покупателей атомного заряда от домика «лаборанта Фишмана».

Появившиеся со стороны рощицы сотрудники девятнадцатого РОВД являли собой страшное зрелище. Всклокоченные, в разорванной местами одежде, с измазанными грязью лицами, потрясающие воздетыми к небу кулаками и короткими автоматами, они шли цепью, словно белогвардейцы в психическую атаку, широко разевая рты и выкрикивая нечто грозное и невразумительное. Для полного сходства с шеренгами капелевцев не хватало лишь золоченых аксельбантов и черного знамени с черепом и костями.

Изредка то один, то другой не совсем трезвый атакующий падал, но тут же вставал и продолжал движение к заветной цели.

Плодожоров и компания вывалились из заглохших сразу после въезда на территорию садоводства УАЗов, обнажили свои стволы и с ревом бросились наперерез конкурентам, оставив водителей и застигнутого приступом тошноты дознавателя Пугало разбираться с перегревшимися моторами.

Грузившие доски в старый «фольксваген» двое мужичков застыли в недоумении.

«Opel Senator» и «Suzuki Liana» взревели двигателями, развернулись и помчались к выезду на шоссе. Но далеко коричневый немецкий седан, в котором сидел Иуда Пейсиков, не отъехал,— пущенная недрогнувшей рукой Тулипа тяжелая пуля из бесшумного автомата «Вал» 20 вспорола правую переднюю шину «Опеля». Машину занесло, она пробила заборчик из штакетника на чьем-то пустующем участке и остановилась, вломившись в густой малинник.

Коммерческий директор «Семисвечника» Кац стукнулся носом о баранку и тоненько взвыл.

Тем временем две атакующие группы сошлись в нешуточной схватке у калитки надела исчезнувшего «Фишмана».

Первыми сцепились вырвавшиеся вперед дознаватель Яичко и начальник ОУРа девятнадцатого РОВД майор Петухидзе. С воплями «Предатель!», «От предателя слышу!» и «Ментяра позорный!»

давно знакомые друг с другом мусора, испившие за время работы в одном и том же отделе немало гекалитров разнообразного спиртного, принялись дубасить визави резиновыми палками, норовя попасть по голове и причинному месту.

Быстро подоспели и остальные.

Оперативник Скрипочка, еще не до конца отошедший от употребления «Яблочной», хотел издать боевой клич, но вместо этого метнул харч в самую гущу дерущихся... Старший лейтенант Землеройко, аки древнегреческий копьеметатель, швырнул в противников подобранные по пути грабли и попал аккурат по затылку своему коллеге Палиндромову... Ефрейтор Дятлов неловко взмахнул автоматом и прикладом сломал сам себе челюсть... Капитана Саранчидзе пробило на испускание ветров, и он, задорно попукивая, прыгнул сверху на упавшего начальника дежурной части противоборствующего РОВД и вместе с ним скатился в канаву, наполовину залитую водой... Старлей Градусов поскользнулся на коровьей лепешке и башкой вперед въехал в живот оперу Пятачкову, топтавшему ногами поверженного сержанта Степанюка... Вверх ударила очередь из АКСУ упавшего навзничь старшины Пасюка...

Тем временем один из УАЗов завелся, рванул вперед и стукнул «Фольксваген» точно по бамперу.

Со сложенного в грузовом отсеке микроавтобуса штабеля сорвалась широкая доска-двухдюймовка, просвистела над головой успевшего присесть одного из мужичков и торцом въехала по переносице второму.

— С дороги, мать вашу! — проорал дознаватель Пугало, сидевший за рулем ментовского «козла».

Непострадавший мужичок выказал полное неуважение к стражам порядка и вместо того, чтобы сбежать с места происшествия и уволочь вырубленного доской товарища, ринулся в лоб на УАЗ, распахнул водительскую дверцу, смачно врезал по морде Пугало и за шиворот вытащил того из машины.

Перед глазами дознавателя мелькнуло развернутое удостоверение сотрудника Федеральной службы безопасности России.

— Майор Оленев, ФСБ! — срывающимся голосом завопил мужичок и треснул Пугало носком сапога под ребра.— Лежать, скотина! Руки за голову! — И повернулся к поверженному товарищу:— Серега! Ты как?

Начальник третьего отдела Службы собственной безопасности питерского УФСБ капитан третьего ранга Петренко, вот уже третий год строивший дом в деревне Лосевка, перевернулся на живот, поднялся на четвереньки и ошалело помотал головой.

— Я не виноват! — взвизгнул протрезвевший от ужаса Пугало и ткнул пальцем в бело-синюю «мусоровозку».— Она сама поехала!

— Заткни пасть, урод! — рыкнул Оленев, выдернул из наплечной кобуры дознавателя потертый «макаров», проверил наличие патронов в обойме и огромными прыжками понесся к месту драки, на ходу передергивая затвор пистолета.

Позади майора взревел двигатель второго УАЗа...

* * *

Пейсиков отбежал от «опеля» на полсотню метров, свернул за угол какого-то сарая, и тут на него сверху обрушилось нечто огромное и тяжелое. Рот зажала чья-то широкая ладонь, и тихий голос произнес фразу, от которой Иудушку бросило в холодный пот:

— А теперь, мил человек, съездим-ка на вокзальчик за оставшейся денежкой.

Племянник Цили Моисеевны Ступор забился в объятиях Гоблина, но силы были явно неравны, и спустя четверть минуты деморализованного Пейсикова с надетым на голову холщовым мешком забросили в багажное отделение золотистого внедорожника «Chevrolet Tahoe», за рулем которого восседал невозмутимый Тулип.

Глава 7

ОДИН РАЗ – НЕ СКАЛОЛАЗ

Солнце, воздух и вода —
Это, дети, ерунда.
Лишь здоровый прагматизм
Укрепляет организм.

Лозунг на фасаде детского сада тюремного типа

Денис вышел из «таблетки» на улицу, смешался с плотным потоком пешеходов и неторопливо пересек Лиговский проспект. Бросив горсть мелочи в картонную коробку с крупной, написанной фломастером просьбой помочь на содержание собак в частном приюте, он миновал гостиницу «Октябрьская», свернул налево в короткий переулочек на задворках здания городской налоговой полиции, протопал мимо парочки торговых павильонов и шеренги сверкающих джипов, распахнул дверь ресторана «У Рудольфа», славного своей кухней и гостеприимством владельцев сего заведения для набивания животов, поднялся вверх по мраморной лестнице на второй этаж, вежливо кивнул миловидной девушке за стойкой бара, жестом остановил даму-метрдотеля, направившуюся к гостю, дабы провести того за приглянувшийся столик, прошествовал в большой зал и уселся на свободный стул у длинного стола, уставленного огромным количеством тарелок с мясными и рыбными закусками, салатами и кружками пива «Крушовица».

Пирующий коллектив в лице Ортопеда, Глюка, Кабаныча, Садиста, Горыныча, Мизинчика, Игоря Борцова и еще десятка братков радостно поприветствовал вновь прибывшего соратника по борьбе за светлое капиталистическое будущее.

Рыбаков заказал подскочившей официантке двойную порцию тигровых креветок и свиное колено с кнедликами, налил себе апельсинового соку и умиротворенно откинулся на спинку стула, расслабившись в кондиционированной прохладе ресторана после прохода по испепеляющей жаре улицы.

Посещать заведение «У Рудольфа» считалось в братанской среде признаком хорошего тона.

Кормили там отменно, интерьер обеденных залов, выдержанный в средневековом стиле, настраивал посетителей на спокойный лад, а выбор и качество напитков были выше всяких похвал. Особенно радовали свежайшее чешское пиво и настойка «Бехеревка», рюмочкой которой так славно завершить плотную трапезу.

Да и цены в ресторане были вполне приемлемыми, не опустошавшими лопатник даже после обеда на четверых с пятью переменами блюд, что особо отмечалось в среде людей, умевших считать деньги.

Денис выпил сок, налил себе еще и вклинился в спор Ортопеда и Мизинчика, рассуждавших о достоинствах современной российской прозы. Первый бухтел о необходимости расстреливать авторов-графоманов, дабы другим неповадно было писать всякую фигню, второй выступал за более мягкие методы наказания типа публичной порки розгами и запрета на профессию.

В качестве примера оба братка избрали разрекламированную мастерицу «иронического» женского детектива Марью Гонцову, чьи многостраничные незатейливые опусы приводили в ужас людей с мало-мальски развитым литературным вкусом, а также эстетствующего грузина-журналиста, творящего под псевдонимом Буба Акынин.

— Стрелять, стрелять и стрелять,— настаивал Грызлов, не забывая отправлять в широкую пасть толстые ломти ветчины и буженины, запивая их огромными глотками пива из фирменной литровой кружки.— Другого, блин, пути нет...

— Есть,— возражал Кузьмичев, отдававший должное салату оливье.— Твои экстремистские замашки приведут только к тому, что за год перебьют девяносто процентов писателей. Потому что разному пиплу нравится разное чтиво. Надо сечь, чтобы думали, как писать. Причем сечь в первую очередь издателей. Это конструктивный путь.

— Давать малых прутняков, как сказано у Хольма ван Зайчика,— присоединился к разговору Рыбаков.

— И отбирать эрготоу [1] у авторов,— прогудел Горыныч, неожиданно выказав глубокое знание хорошей литературы.

Окружающие с уважением посмотрели на подкованного Даниила, знающего столь мудреные слова.

— Но вообще-то,— заявил Рыбаков,— методами телесных наказаний или расстрелов привить вкус к достойному чтению невозможно.

— Это почему? — нахмурился Ортопед.

— Потому что сначала нужно заняться повышением культурного уровня потребителей книжной продукции,— ответил Рыбаков и свернул в тоненькую трубочку пластинку бастурмы.— Ибо без воспитания читателей в духе неприятия графоманства лупить авторов бессмысленно. То же самое относится и к телевидению. Пока зритель или читатель не проголосует кошельком, ничего не изменится. Могу привести аналогичный пример из твоей, Миша, жизни.

— Ну, приведи,— обреченно согласился Грызлов.

— Помнишь, к чему привели твои заслуживающие всяческого уважения методы борьбы с автомобильными ворами? Они так и не искоренили воровство. Даже в твоем районе...

— Это да, блин,— вынужден был согласиться вздохнувший Ортопед.

Мелкие воришки, разбивавшие боковые окна машин и похищавшие магнитолы и просто остав-

[1] *Эрготоу (Хольм ван Зайчик)* — самогон двойной очистки.

ленные в салонах вещи, были настоящим проклятьем Выборгского района, где проживал досточтимый братан. Не проходило ночи, чтобы в районе не разбивали два-три десятка стекол, вводя хозяев четырехколесных железных друзей в расходы, несопоставимые с незначительной стоимостью исчезнувшего имущества.

Засады, организуемые сплоченными коллективами живущих в одном доме автовладельцев, ни к какому результату не приводили. Летучие группы воришек, наполовину состоявшие из местных наркоманов, заранее узнавали о вставших в караул мужиках с монтировками и к находящимся под наблюдением машинам не приближались.

Ортопед, всего за год четырежды отгонявший свой внедорожник «Toyota Landcruiser» для установки новых боковых стекол взамен выбитых, озверел и решил лично поставить точку в затянувшемся противостоянии.

Немного поразмыслив и обсудив проблему с коллегами, Михаил приобрел в подземном переходе станции метро «Площадь Александра Невского» три вместительные кожаные барсетки с выдавленными на них логотипами «Gucci» и кодовыми замками, которые можно вскрыть только при помощи отвертки. Внутрь барсеток Грызлов поместил по две гранаты РГД-5 и договорился о размещении ловушек с двумя пацанами из дружественной бригады, проживавшими с Ортопедом в одном доме-корабле.

Поздним вечером народные мстители положили на передние пассажирские кресла своих машин по барсетке, аккуратно выдернули кольца из запалов и прикрыли дверцы. Автомобили было решено не запирать, дабы воришкам не пришлось бы даже бить стекла. Затем Грызлов пригласил соратников по искоренению мелкой преступности к себе домой, и они засели при выключенном свете на кухне, попивая хорошую водочку «Синопская», вполголоса рассказывая друг другу разные поучительные случаи из жизни и чутко прислушиваясь к доносящимся с улицы звукам.

В полпервого ночи громыхнуло.

Братки высунулись из окна и с удовольствием узрели в полусотне метров от подъезда четыре раскинувшихся тела, нашпигованных осколками двух гранат.

— Айн! — почему-то по-немецки сказал Ортопед и обвел взглядом двор.— И где же цвай?

«Цвая» ждали недолго.

От гаражей-ракушек к помойке метнулись три тени, и спустя несколько секунд за мусорными бачками полыхнула яркая вспышка, сопровождаемая звуком двойного разрыва.

А тут и «драй» подоспел.

Правда, третья барсетка-ловушка сработала немного не так, как рассчитывал Михаил.

Тупые торчки вскрыли ее прямо в салоне джипа Грызлова. Прижатые крышкой барсетки фиксаторы гранат отщелкнулись и через три с половиной секунды двух придурков разорвало в клочья вместе с кожаными креслами роскошного внедорожника. В стороны отлетели четыре оторванные дверцы и лобовое стекло.

Примчавшиеся менты констатировали наличие девяти трупов, покореженную «тойоту» и начали расследование происшествия. Дознание шло долго и мучительно, пока наконец не завершилось прекращением уголовного дела, квалифицированного как «массовое самоубийство» в связи со смертью потерпевших.

Но на общую ситуацию в районе гибель наркоманов оказала незначительное влияние. Разве что во двор к Ортопеду воришки опасались заходить, справедливо подозревая его обитателей в склонности к излишней жестокости...

— Или,— Рыбаков продолжил свою мысль,— возьмем почтенного Армагеддонца...

— А что я? — удивился Василий Могильный, на мгновение оторвавшись от обгладывания здоровенной кости, ранее скрытой под толстым слоем мяса свиного окорока.— Я ничего...

— Ага,— засмеялся Денис.— Кто же тогда похитителей автоэмблем наказывал? Пушкин, что ли?

Армагеддонец молча заработал челюстями.

Кражи фирменных знаков с машин также являлись большой проблемой для владельцев иномарок. Каждая эмблема стоила десять—двадцать долларов и пользовалась большим спросом у воришек. Тем более что сковырнуть мерседесовскую звезду или бело-синий значок с BMW — это не в салон лезть: подцепил перочинным ножом, секунда — и готово. Машина же после этой нехитрой операции приобретала несообразный вид, сильно раздражавший хозяев, вынужденных тратить время на поездку в магазин запчастей и покупать утраченную эмблему. Причем частенько бывало так, что покупалась своя же, содранная с капота несколько часов назад.

Могильный, которому надоело раз в неделю мотаться за синими овалами с надписью «Land Rover» и крепить их на своем джипе, придумал радикальный способ охраны фирменного знака. Он установил в моторном отсеке мощный конденсатор, заряжаемый от штатного аккумулятора, подвел провода к алюминиевой окантовке эмблемы и спокойно отправился спать.

Ночью прошел дождь.

Выйдя поутру из парадного, Армагеддонец наткнулся на три скрюченных хладных тела сотрудников ППС, лежавших друг за дружкой перед капотом его вседорожника, застывший неподалеку уазик с распахнутыми дверцами, из которого хозяйственные местные хулиганы уже успели выдернуть рацию и пару передних сидений, и понял, что с мощностью конденсатора он немного переборщил — надо было ставить не стотысячевольтовый разрядник на пять ампер, а поменьше. Тогда бы друзья похитителя автоэмблем, пытавшиеся оттащить его от джипа, остались бы живы.

Василий почесал репу, отогнал свой «Land Rover Discovery» за угол дома, а затем с наслаждением наблюдал броуновское движение районных мусоров, никак не способных сообразить, кто и каким способом отправил на тот свет троих молодых коллег...

— С ментами вообще весело,— вспомнил Гоблин происшедшую с его соседом историю.— Приятель мой решил на всякий случай обезопасить квартирку от домушников. Хоть и сигнализация стояла, но все-таки... Нафигачил в бутылку с коньяком цианида, да и водрузил ее по центру стола на кухне. Типа — угощайтесь, граждане воры... Сам на дачу свалил. Приезжает — дверь децл приоткрыта, а на кухне два трупа в форме. Увошники, мать их... По охраняемым объектам шакалили, пока хозяева в отъезде. Пешочком, блин, без машины. Геморроя потом с труперами было — не передать! Пока в подвал оттаскивал, пока то, пока се... Ужас, короче.

— Мусора — они такие,— согласился Стоматолог.— Куда ни плюнь, обязательно в легавого попадешь...

* * *

Президент холдинга «Сам себе издатель» Исмаил Вальтерович Дудо подергал дверь личного сортира, в котором он просидел последние десять минут, но распахнуть ее не смог.

Итальянский замок с фигурной задвижкой опять преподнес сюрприз, и его заклинило в самый неподходящий момент.

Роскошный офис холдинга, расположенный в одном здании со станцией метро «Пушкинская» и отделом транспортной милиции, благодаря чему Дудо экономил на охране помещений, был оборудован под чутким руководством Исмаила Вальтеровича и нашпигован разными хитрыми приспособлениями, кои гендиректор выписал по каталогу. Проводившая ремонт «Сам себе издателя» бригада строителей поначалу была несказанно рада обилию заказанных дорогостоящих материалов и объему сложных высокооплачиваемых работ, но счастье, как ему и полагается, длилось недолго. По истечении непродолжительного времени, когда пришел час получать по счету, книготорговец предъявил кучу претензий к качеству работ и закрывать смету отказался, мудро рассудив, что строителям и аванса хватит.

Мелкое кидалово по отношению к своим сотрудникам и деловым партнерам вообще было фирменным стилем работы Дудо.

Крысятничал Исмаил Вальтерович во всем.

Он штрафовал работников за свои же ошибки, придирался к любой мелочи, заставлял подчиненных просиживать в офисе допоздна, не оплачивая им свехурочные, организовал фирму по перепродаже книг собственного издательства, чтобы дополнительно рубить по полтинничку с каждого экземпляра, нанимал людей с трехмесячными испытательными сроками, в конце которых заявлял, что те не справились с должностными обязанностями и могут проваливать на все четыре стороны, получив в бухгалтерии деньги из расчета одного МРОТ, не гнушался даже проверять, чем обедают редакторы, корректоры, верстальщики и секретари, а если видел, что кроме хлеба и чая они позволяют себе колбасу и сыр, устраивал разнос, истошно вопя о «зажравшихся» сотрудниках, устраивающих пир в то время, когда надо корпеть над планами, рукописями и макетами.

Гнев Дудо испытывали на себе даже верные стукачи президента во главе с начальницей производственного отдела холдинга. На них он орал, естественно, реже, но все же случалось...

Исмаил Вальтерович потеребил золоченую ручку, облизал пухлые губы и попытался выдавить дверь плечом.

Сто десять килограммов жира президентского тела напряглись, но, окромя внезапно вырвавшегося из глубин Дудо тоненького пука, ничего не произошло.

Дверь стояла намертво.

Глава холдинга приложил ухо к филенке и прислушался.

Из приемной доносились веселые голоса его водителя и секретарей.

— Эй! — Исмаил Вальтерович постучал ладонью по двери.— Стас!

Шофер не откликнулся, занятый приготовлением кофе себе и трем девушкам.

— Станислав! — немного громче позвал Дудо.

Ответом на его зов был взрыв хохота после удачной шутки зашедшего в приемную второго водителя, обслуживавшего «мерседес» главного редактора.

Дудо несколько приуныл.

Его личный сортир был расположен в предбаннике и отделен от приемной еще двумя дверями с хорошей звукоизоляцией. Поэтому тот факт, что служащие не слышали стуков высокого руководства, не был удивительным...

Частое посещение туалета было для Исмаила Вальтеровича необходимостью, связанной с особенностями работы его желудочно-кишечного тракта. Вернее, даже не с особенностями, а с напрочь сорванной перистальтикой кишечника, из-за чего позывы к облегчению приходили внезапно и к ним требовалось прислушиваться, дабы не запачкать брюки.

И все по причине стремления президента холдинга выглядеть спортивно и поджаро.

Дудо, как и большинство россиянцев, был зело ленив, однако хотел иметь атлетическую фигуру, притягивающую женские взгляды на пляже. Посещать тренажерные залы ему было некогда, поэтому он избрал иной путь к совершенству, для начала купив электропояс «Энерджайзер». Трехсотдолларовый эластичный пояс стимулировал брюшные мышцы посредством посыла регулярных электрических импульсов, заставлял их сокращаться и спустя пару месяцев должен был привести к тому, что на месте обвисшего брюха главы «Сам себе издателя» возник бы рельефный плоский живот. Для Исмаила Вальтеровича, похожего со стороны на большую перезревшую грушу, к которой по странной прихоти матушки-природы пришпандорили толстые ножки и короткие ручки, сие было весьма актуально.

Однако «Энерджайзер» сработал немного не так, как обещалось в рекламе.

Внешнее электрическое воздействие на живот Дудо никак не отразилось на объеме пуза, а привело к почти полному отказу кишечника исполнять свои функции. Гладкая мускулатура решила уйти на покой, предоставив свои обязанности неутомимому поясу на батарейках.

Промучавшись двухнедельным запором, Исмаил Вальтерович бросился к врачам, которые для начала поставили ему ведерную клизму, а затем прописали кучу препаратов, должных в течение года-двух вернуть кишкам прежнюю работоспособность. Не очень приятным побочным действием этих лекарств был расслабляющий, причем внезапный и непросчитываемый эффект. Дудо могло прихватить и в кабинете, и в машине, и на деловой встрече. Именно поэтому он предпочитал не выезжать из офиса, а назначать переговоры на своей территории, где путь в сортир был короток и проторен...

Президент холдинга глубоко вздохнул и снова застучал ладонью по коварной двери.

* * *

— Что это за грохот? — Шофер главного редактора навострил уши и принял из рук одной из секретарей чашечку свежезаваренного кофе.

— Дудо опять в нужнике застрял,— спокойно объяснил Станислав и уселся в мягкое кресло.— Раз в пару недель дверь клинит. Ты, Серега, не обращай внимания...

— Так помочь вроде треба,— неуверенно сказал Серега.

— Пусть посидит еще,— отмахнулся президентский водитель.— В прошлый раз он там сорок минут торчал. Сегодня надо перекрыть это достижение, довести время до часа, не меньше.

— Можно сказать, что Вальтерыч идет на рекорд? — предположил Сергей.

— Можно и так,— согласился непочтительный Стасик.— Или что мы выводим новый вид издателя — Дудо очковый, самозапирающийся...

Секретари прыснули.

— Ну вот,— Станислав вернулся к истории, которую он рассказывал до прихода шофера главного редактора.— Вызывает меня это толстое чувырло и говорит: «Надо съездить в типографию, забрать пленки...» Типа, с ними чё-то не то, опять Ядвига Гурьевна напортачила...

* * *

Дудо опустил крышку унитаза, разместил на ней свой круп пятьдесят восьмого размера, дисгармонировавший с торсом, который был на четыре размера меньше, посмотрел на часы и пригорюнился.

С минуту на минуту начинался обеденный перерыв, когда приемная пустела. И тогда уж точно никто не придет на помощь жертве подлой западной технологии.

Исмаил Вальтерович похлопал себя по карманам в поисках мобильника, посредством которого он мог дозвониться в секретариат и вызвать Стасика, но телефона не обнаружил. Купленный экономным Дудо всего за восемьдесят пять долларов дешевый «Panasonic GD35» бесполезным куском пластмассы валялся на столе в кабинете, рядом с покрытым недельной пылью компьютером и стопкой журналов «Sexshow», кои президент холдинга так любил перелистывать в свободное время.

Книгоиздатель подпер жирные оплывающие щеки руками и подумал, как хорошо было бы сейчас развалиться на мягком велюровом диване в комнате отдыха, а не ерзать на выпуклой и жесткой пластмассовой крышке унитаза.

Комнату отдыха Дудо оборудовал себе совсем недавно, когда стал президентом холдинга.

До вхождения в сию благозвучную должность он был обычным генеральным директором издательства «Экстра-Суперпресс» и совладельцем единой торговой сети «Книжный червь», распространявшей в основном покетбуки с розовыми сердечками на обложках и тома кулинарных рецептов. Дела у подвластных Исмаилу Вальтеровичу предприятий шли с каждым годом все хуже и хуже, пик продаж, когда читатели расхватывали тираж любой новой книги, давно миновал, и издательство Дудо выживало лишь за счет инерций сознания потребителей.

Книготорговец пару раз предпринял слабые попытки поправить положение, взяв пример со своих московских партнеров, ничтоже сумняшеся выпускавших старые вещи популярных авторов под измененными названиями и рекламирующих их как «новинки», но в этом не преуспел.

Наглые питерские читатели, наученные горьким опытом приобретения одной и той же книги под тремя разными наименованиями, сначала заглядывали внутрь, а затем решали, брать товар или нет. Метод запечатывания книг в прозрачную пленку, должную помешать покупателю сразу обнаружить обман, ожидаемого результата не принес — покрытые шуршащим целлофаном тома не брали вообще.

Активная рекламная кампания по продвижению на рынок поделок литературных негров, заявленных как новые произведения маститых авторов, якобы сменивших псевдонимы, также провалилась. На этот раз — из-за происков охамевших журналистов. Писарчуки быстро раскусили замысел Дудо и устроили масштабную акцию в прессе, ратуя за права потребителей. Дополнительно в «Экстра-Суперпресс» обратились несколько возмущенных покупателей и выкатили издательству с десяток требований вернуть деньги и оплатить моральный ущерб от приобретения ложно разрекламированного товарца. Когда же Исмаил Вальтерович отказался удовлетворить поступившие претензии, они трансформировались в судебные иски, грозившие полностью разорить книготорговца.

Поразмыслив над превратностями судьбы, Дудо и его столичные партнеры не придумали ничего лучше, как пойти по проторенному жуликоватыми российскими бизнесменами пути смены формального владельца предприятия. Они наняли малоизвестного литагента Говженкина, подвизавшегося на ниве эротической прозы, назначили его гендиректором «Экстра-Суперпресс», образовали специально под Исмаила Вальтеровича холдинг и посчитали, что одним махом решили все возникшие проблемы.

Но они не учли весьма важного фактора в лице Лысого и его друзей...

Из приемной послышались чьи-то громкие голоса, дверь предбанника распахнулась, и в кабинет Дудо по-хозяйски зашли гендиректор «Питер-Энерго» Андрей Лиходей и сопровождавший его давнишний агент БНД и по совместительству мэр Шлиссельбурга и известный жулик Митя Базильман, с которыми у президента холдинга «Сам себе издатель» была назначена важная встреча.

Посетители с минуту потоптались в пустой комнате, затем уселись за огромный овальный стол для совещаний, и Базильман задал сакраментальный вопрос:

— Ну и где это чудило?

Исмаил Вальтерович, испытывавший легкое неудобство из-за того, что не встретил дорогих гостей на пороге, осторожно постучал костяшками пальцев в дверь.

* * *

— Да! — Игорь Борцов поднес к уху запиликавший телефон и жестом попросил друзей разговаривать потише.— Здорово!.. Ты сам-то как?.. Ну, это радует!.. Да мы тоже ничего!.. Цветем... Само собой... А делишки? — Бригадир группировки удивленно поднял брови.— Да ты что?! Ну, вы даете! Поздравляю... И что, просто подошел и завалил?.. Молоток!.. Какая собака?.. Ага... Ага... И что с ней?.. У Сиропчика теперь живет?.. Что ж, тоже неплохо. Сиропчик парень что надо... Ага... Не, без базара, всегда поможем... Давай, удачи,— Борцов выключил мобильник, хмыкнул и сообщил: — Сиропчик депутата Госдумы грохнул. Два часа назад. Тот с собакой гулял.

— А за что? — поинтересовался Денис.

— За тухлые базары,— спокойно ответил Игорь.— Мешал ему вино на природе пить. Сиропчик парень резкий, ствол достал — бац, бац! — и нет депутата. Две пули в башку засадил... Кстати, депутат этот ему давно надоедал.

— И кого мочканул? — спросил Ортопед.

— Голавля... Из демократов, дружбана Юшенкевича и Рыбаковского.

— Это который на распилке акций Магнитки прославился? — уточнил Гоблин.

— Того самого,— кивнул Борцов.

— Це дило,— прогудел Кабаныч.— Его давно надо было валить...

— А собака почему у Сиропчика живет? — осведомился Рыбаков.

— Забрал с места происшествия как вещдок,— засмеялся Игорь.— Хозяина-то таперича нету, животине скучно будет... Вот Сиропчик и решил ее приютить.

— Добрый он человек,— серьезно сказал Садист.

— И душевный,— согласился Гугуцэ.

Денис молча принялся за салат.

Вступать с братками в пререкания по вопросу о том, стоило ли палить в депутата или можно было бы обойтись менее кардинальными действиями, Рыбаков считал столь же бессмысленным, как, например, спорить о взаимоотношениях Гейзенберга и Бора.

— Вчера мне пришло в голову,— неожиданно произнес технически образованный Эдисон, откладывая на пустую тарелку чисто обглоданную косточку от куриной ножки,— что девушки по сути своей — это самые обычные проги...

— Это как? — Сидевший напротив Цветкова Мизинчик отвлекся от греческого салата.

— Очень просто,— Эдисон налил себе рюмочку «Пятизвездной».— Есть freeware — подруга, и time-limited shareware — невеста. Лицензионная копия называется «жена». Причем процедура лицензирования сильно запутанная и дорогая, это все знают... И условия лицензионного соглашения, в натуре, драконовские — сплошные обязанности и никаких прав типа возврата в тридцатидневный срок.

Посерьезневшие братки задумчиво закивали.

— Казалось бы,— продолжил польщенный всеобщим вниманием Цветков,— на кой они тогда нужны, эти жены, почему бы всегда не пользоваться freeware? Версии можно качать чуть ли не каждый день. Но и тут, блин, оказывается, не без заморочек!

Горыныч печально вздохнул.

— Первое — почти все freeware-версии надоедают сообщениями с предложением зарегистрировать копию и часто функционально ограничены.– Эдисон закусил оливкой.– Ломаются они долго и не всегда успешно... Второе: пользоваться ими нужно осторожно, предварительно тщательно проинсталлировав антивирусное приложение и надежный, без дыр в защите, firewall. Иначе даже один шальной пакет во время коннекта может послать всю систему в даун на девять месяцев, вызвав постоянный рост размера свопа на жестком диске.

– Это да,– кивнул многодетный Стоматолог.

Денис недоуменно посмотрел на заслуженного братана.

Внешность и манеры Стоматолога, более всего похожего на обритого наголо орангутана со шрамом от сабельного удара на морде, не предполагали знание им столь мудреных слов, как «своп» или «firewall».

– Тут придется либо обращаться к спецу, который почистит своп и удалит все лишнее, либо лицензировать копию.– Эдисон налил себе еще рюмку.– А это для кульного хацкера [1] равносильно форматированию веника с помощью крупной наждачки и ржавого гвоздя. Есть еще, конечно, многопользовательские системы, которые стоят в этих... ну как их... типа Интернет-кафе: приходи, выбирай, пользуйся. Их можно поюзать в случае необходимости, и оплата в основном почасовая, хотя с вирусами там те еще проблемы. Да и если прикинуть, то в результате выходит недешево.

[1] *Кульный хацкер* – крутой, продвинутый пользователь *(жарг.)*.

Комбижирик смущенно кашлянул и потянулся за блюдом с мясным ассорти.

— И ладно бы еще только проблемы с лицензией! — Цветков опрокинул пустую рюмку и поднял вверх указательный палец.— Все намного хуже!

— Куда уж хуже? — недоуменно спросил Лысый.

— А туда! — Эдисон закурил.— Важные функции девушек чаще всего недокументированы, исходники закрыты, и help абсолютно бестолковый. И служба поддержки, блин, даже если у вас лицензионная копия, на вас чихать хотела! Во-от... Кроме того, проинсталлированную систему постоянно приходится защищать от хакерских атак, а держать несколько разных версий одновременно очень сложно, так как они все время конфликтуют...

Рыбаков присмотрелся к Цветкову и понял, что тот находится на грани сознательного и бессознательного и беседует с коллегами на языке, принятом в среде программистов, обеспечивающих работу технического отдела группировки.

Пить Эдисон никогда не умел.

Однако пересыпанная специфическими терминами речь Цветкова не вызывала в коллективе непонимания. Братки внимательно слушали, а Гоблин даже схватился за свой мини-компьютер.

— Есть еще, блин, куча известных багов, типа, когда система полностью очищает ваш cash и самостоятельно деинсталлируется.— Тут Эдисон кашлянул, повысил голос и продолжал: — Или постоянно генерирует сигнал busy в телефонной трубке, не реагируя на прерывания. В магазинах и перед зеркалом они вообще сразу зависают намертво и могут висеть часами, хоть ты тресни... Проблемы начинаются с самого начала, от момента выбора правильного дистрибутива с толковой полиграфией, не похаканного и без вирусов. А уж потом, блин, идет сложный и длительный процесс инсталляции: систему приходится долго грузить и уламывать, в общем — сплошной геморрой... Так вот что я понял в конце концов: Windows и девки — это же практически одно и то же! Типа, как из одной бочки наливали! Сами рассудите: и те и другие имеют интерфейс симпатичный, на первый взгляд дружественный, любят крутые тачки и расходуют кучу ценных системных ресурсов... Характер их капризен, а закидоны непредсказуемы. Деинсталлировать без приключений удается редко, обычно приходится применять радикальные меры... Одно слово: девки маст дай! Что, впрочем, внушает определенную надежду...

Цветков выдохся и умолк, глядя бессмысленным взглядом прямо перед собой.

Борцов кивнул Тулипу и Мизинчику, те аккуратно приподняли Эдисона со стула и отнесли в угол обеденного зала, где положили на диван возле муляжа средневекового рыцаря в тусклых доспехах.

* * *

С внешней стороны дверь сортира открылась без всяких проблем.

Немного смущенный Дудо пожал руки Лиходею и Базильману, рявкнул на испуганных секретарей, приказал подавать кофе и пригласил дорогих во всех отношениях гостей присесть в обитые снежно-белой кожей кресла, стоявшие у журнального столика в углу, включив музыкальный центр «Kenwood».

— Как известно,— послышался бодрый голос ведущего информационных программ радиостанции «Азия-минус»,— кукушки подбрасывают свои яйца в чужие гнезда. Веселее всего это получается у самцов...

Гендиректор «Питер-Энерго» и мэр Шлиссельбурга с подозрением посмотрели на президента «Сам себе издателя».

Исмаил Вальтерович быстро выключил электронный аппарат и изобразил на своем пухлом лице с обвисающими вниз щеками, сильно смахивающем на мордочку перекормленного мопса, деловитое внимание.

— Скоро выборы,— издалека начал Лиходей.— У нас они проходят непросто...

Дудо понимающе кивнул.

— А у вас — хорошие связи в полиграфии.— Базильман поерзал в кресле.

— Что да, то да,— гордо раздулся президент холдинга.

Свои книги «Экстра-Суперпресс» и московские партнеры издательства печатали в типографии «Зеленый гегемон», директор которой, высокий и сухощавый, бывший комсомольский работник с запоминающейся фамилией Грызун, поставил выпуск левых тиражей на поток. В выходных данных книги проставлялось одно количество экземпляров, а на самом деле печаталось в пять, а то и в десять раз больше. Этим Грызун со товарищи убивали сразу двух зайцев: сокращали налоговые отчисления в бюджет и урезали выплаты авторских вознаграждений. Прибыль, разумеется, делили в узком кругу участников концессии.

В дружественной типографии также можно было печатать пропагандистские предвыборные материалы любого толка и любым тиражом, помогая кандидатам в депутаты скрывать от избирательных комиссий реальные суммы расходов.

— В связи с этим у нас к вам будет небольшая просьбочка.— Лиходей перешел к делу.

Обрадованный перспективой заработать нехилую копеечку, Дудо чуть наклонился вперед.

— Вы наверняка знаете, что наш губернатор недоволен работой ЗАКСа. И будет стараться посодействовать на ближайших выборах своим кандидатам. Как он выражается — «не трепачам, а деловым людям».— Андрей Никифорович презрительно скривился.

С нынешним главой городского правительства у него сложились враждебные отношения еще с той поры, когда Лиходей возглавлял Комитет по управлению городским имуществом. Губернатор пару раз крепко наказал вороватого чинушу, вовремя предотвратив передачу тем в собственность знакомым бизнесменам лакомых кусочков городских владений.

Чуть до стрельбы однажды не дошло, ибо Андрей Никифорович взял, разумеется, взятку вперед, а отдавать деньги после невыполнения обещанного не хотел, попытавшись перевести стрелки на главу города. Однако взяткодатели не вняли крикам Лиходея о том, что во всем виноват губернатор, и предупредили начальника КУГИ о негативных последствиях невозврата уплаченной суммы.

Толпа корыстолюбивых и тупых горлопанов в питерской думе была весьма выгодна местному чиновному ворью, которому покровительствовали засевшие в Москве подонки более высокого ранга во главе с Рыжим, но отнюдь не выгодна жителям Северной столицы, нормальным бизнесменам, стремящимся развивать производство, и губернатору.

— Использовать административный ресурс — незаконно,— важно изрек Дудо, наслушавшийся истеричных выкриков экс-мэрской вдовушки, при любом удобном случае обвинявшей председателя городского правительства во всех смертных грехах.

— Именно,— выдохнул Митя Базильман.— Вы нас понимаете...

Секретарь внесла поднос с тремя чашками, стаканом воды для Дудо, сахарницей и блюдцем с сушками, сервировала столик и удалилась.

— У нас к вам есть одно, на мой взгляд, выгодное предложение.— Лиходей наконец-то перешел к главному.— Мы проплачиваем выпуск агитационных материалов, а вы берете на себя их издание и транспортировку до указанного нами места. Заказ крупный и... как бы поточнее выразиться... не очень обычный.— Андрей Никифорович бросил взгляд на мэра Шлиссельбурга.

Исмаил Вальтерович облизал губы.

— Мы хотим опередить губера,— подхватил Базильман брошенную ему эстафетную палочку.— Не дать ему возможность напечатать свои листовки.

— А он собирается? — спросил Дудо.

— Конечно! У нас есть совершенно точные сведения, что он готовит массовый выпуск плакатов в поддержку своих кандидатов,— соврал Митя.

— А вы хотите выпустить контрплакаты? — догадался президент «Сам себе издателя».

— Нет! — Базильман замахал руками.— Конечно же нет! Это было бы слишком просто!

Дудо наморщил лоб и попытался сообразить, что еще можно напечатать. Но, кроме изготовления транспарантов с надписью «Губернатор — сволочь!», в голову президенту холдинга ничего не приходило. И связываться со столь откровенно хамской акцией ему не хотелось.

Лиходей заметил отразившуюся на лице Исмаила Вальтеровича борьбу раздиравших его душу желаний заработать денег и выйти сухим из воды и поспешил успокоить хозяина кабинета:

— Вы Митю неправильно поняли. Мы бы хотели через вас заказать материалы якобы в поддержку губернаторских кандидатов...

— Это другое дело! — облегченно вздохнул Дудо, но тут же спохватился.— А зачем это вам?

— Так надо,— Андрей Никифорович заговорщицки прищурился.— Это часть плана.

— Ну-у, я не зна-аю,— протянул президент холдинга.

— На нашей стороне играет полномочный представитель президента,— со значением заявил Лиходей.

— А он в курсе? — поинтересовался Исмаил Вальтерович.

— Разумеется, да,— опять солгал Базильман.

Дудо отхлебнул из стакана водички и почувствовал срочный позыв к облегчению.

— Я сейчас.— Глава «Сам себе издателя» быстро поднялся и засеменил к двери сортира.— Вы пока пейте кофеек. Я быстро...

* * *

— Пиво — величайшее изобретение человечества,— Тулип сдул шапку пены с кружки.— Колесо, правда, тоже... Но колесо с рыбой — это как-то не очень.

— Твоя правда,— Горыныч налил Ортопеду и себе по рюмочке «Сабадаша».— За успешный финал!

Звякнули сошедшиеся над столом бокалы с вином, рюмки с кристально чистой ливизовской водкой, кружки с «Крушовицей» и высокий тонкий стакан с апельсиновым соком, из которого пил Денис.

Окончание мероприятия по «обуванию» Кугельмана и компании на два миллиона долларов было бурным и сопровождалось массой неприятностей для вмешавшихся в сделку сотрудников правоохранительных органов.

Во-первых, пошедший на таран фанерного домика уазик впилился не в хлипкое, готовое развалиться от любого сотрясения строение, а в бетонный куб с гранью в три с половиной метра, закамуфлированный под халупу российского фазендейро. Ментовский «козлик» развалился практически надвое, и водитель чудом остался жив.

Во-вторых, в драку вмешался сотрудник УФСБ. Ему, правда, тоже поначалу досталось, но он не сплоховал и быстро отключил явного лидера Плодожорова, врезав тому рукояткой изъятого у Пугало пистолета по бестолковке. После нейтрализации лидера одного из фронтов битва захлебнулась. Менты еще с минуту вяло помахали руками-ногами-прикладами и сдались майору Оленеву, вызвавшему по мобильному телефону дежурную группу РССН. Спустя полчаса поселок Лосевка был оцеплен, травмированному доской кап-три Петренко оказали первую помощь и приступили к допросу задержанных, взахлеб повествовавших о случившемся и со свойственным именно попавшимся на горячем мусорам сладострастием топивших своих подельников.

В-третьих, захватившим Иуду Пейсикова браткам пришлось прорываться сквозь кордон дорожно-патрульной службы, весьма некстати устроившей на близлежащем шоссе проверку подозрительных автомобилей. Три сержанта-гаишника отправились в кювет, снесенные выскочившим из джипа Гугуцэ, подожженные мотоциклы отправились следом, и колонна помчалась дальше, оставив позади себя лишь одного валявшегося на обочине крепко сбитого лейтенанта.

В-четвертых, с мостика летящего по водной глади катера глазастый Рыбаков заметил заросшего и грязного мужика, метавшегося по маленькому островку в центре озера и размахивавшего руками.

— Кто это такой? — осведомился Денис у Циолковского, в последние две недели частенько рассекавшего на «Ястребе» по местным протокам.

— Понятия не имею,— пожал плечами Королев.— Каждый раз, как я мимо проплывал, он вот так же сходил с ума...

Пришлось подойти к острову поближе и принять на борт несчастного туриста, чья резиновая лодка была разодрана в клочья обозленными вторжением человека на свою территорию хорьками. А плавать турист не умел...

В-пятых, на Варшавском вокзале, где в камере хранения находилась вторая половина денег за «Абрикосик», Гоблин и Тулип сцепились сначала с цыганками-попрошайками, затем — с крышевавшими их работниками транспортной милиции, в результате чего процесс изъятия чемодана с долларами растянулся на полчаса. Семеро избитых до синевы мусоров были сброшены вниз по эскалатору станции метро «Балтийская», а к запершимся в помещении отдела остальным вокзальным стражам порядка полетели гранаты со слезоточивым газом, отобранные у удачно проходившего мимо патруля ОМОНа. Надсадно кашлявшие менты пробками выскакивали на свежий воздух, где были встречены радостным Гугуцэ с пятиметровой доской в руках...

Рыбаков вдохнул аромат запеченных креветок, принесенных симпатичной официанткой, и взял вилку.

— Кстати,— раскрасневшийся от грога Клюгенштейн повернулся к Денису.— Мы с Пашкой тут намедни Лиходея видели...

— И что? — Рыбаков окунул первую креветку в пиалу с розовым соусом.

— Он еще должен остался,— напомнил Глюк.— Надо бы, блин, поднаехать.

— Высоковато сидит,— поморщился Игорь Борцов.— Теракт впаять могут.

— Не впаяют,— Денис отломил кусок лаваша.— Есть у меня одна мыслишка...

Глава 8

СОК СОСИ, ЧИТАЙ ГАЗЕТУ, ПРОКУРОРОМ СТАНЕШЬ К ЛЕТУ...

Когда я волнуюсь — я потею. Когда я потею — я пахну. Когда я пахну — меня моют. Когда меня моют — я волнуюсь...

Из монолога восточно-европейской овчарки

Рыбаков неспешно прошелся от входа в Зоологический музей до широченной парадной лестницы здания Биржи, хмыкнул, когда мимо него по направлению к Менделеевской линии пронесся переполненный троллейбус с огромной алой надписью «Эмиграция в Канаду!» на синем борту, и присел на расстеленную газету между Вазелинычем и Телепузом, устроившимися на ступенях внушительной лестницы.

— Вон Подмышкин,— Молодцов ткнул пальцем в человечка, натягивавшего на себя ярко-оранжевый спасательный жилет.

— Он что, тоже снимается? — удивился Денис.

— Ага,— закивал Паша.— Типа, блин, каскадер...

— А зачем? Он же продюсер вроде...

— Крутизну свою перед бабами показывает,— предположил Телепуз.— Борется с комплексом Наполеона.

— Наполеон, кстати, на самом деле был нормального роста,— Рыбаков достал сигареты.— Где-то метр семьдесят. Разговоры о его комплексе пошли значительно позже, когда перемерли все, кто его знал... В общем, очередное историческое недоразумение.

— Подмышкин — метра полтора,— сказал Штукеншнайдер.— Карлик...

— Это он для тебя карлик,— усмехнулся Денис.— Если с твоей точки зрения судить, то между мной и Подмышкиным вообще никакой разницы в росте нету. Оба тебе по пейджер...

Продюсер фильма «Герои русского спецназа» облачился наконец в спасательный жилет и с гордостью осмотрел себя в зеркало.

— Лиходей скоро должен быть,— Рыбаков взглядом отыскал Циолковского, изображавшего из себя бизнесмена, заинтересованного в скрытой рекламе своей продукции посредством засветки ее в кино.

Королев восседал в кресле под зонтиком рядом с камерой, пил пиво и наблюдал за процессом.

Вид у Циолковского был весьма довольный. Возле него постоянно вились симпатичные молодые актрисульки, не терявшие надежды окрутить богатенького Буратино, приезжавшего на съемочную площадку на новеньком серебристом «мерседесе» CL600 с убирающейся крышей и однажды проговорившегося, что он не женат.

Между девицами развернулась жесточайшая борьба за благосклонное внимание Андрея. Каждая из двух десятков лицедеек, участвовавших в съемках и подходящих по возрасту, старалась предугадать желания Циолковского и нашептывала ему на ухо разные гадости про своих товарок. За три дня, минувшие с первого появления «коммерсанта» Королева на съемочной площадке, он узнал о коварстве слабого пола больше, чем за все прошедшие годы.

— А вот и Никифорыч.— Молодцов заметил сворачивающий с Дворцового моста черный лимузин генерального директора «Питер-Энерго».

Рыбаков извлек из футляра маленький бинокль.

* * *

Никодим Авдеевич подобострастно склонился, помогая Лиходею выбраться из машины, и подвел дорогого гостя к стоявшим у гранитного парапета четырем актерам, игравшим в новом боевике кинокомпании «Акын-фильм» роли «крутых спецназовцев» и «злобных террористов».

Каждый из четверки прошел свой собственный путь от рядового сперматозоида до звезды российского малобюджетного кино.

«Командир группы спецназа ГРУ» Александр Шаловливых, столичный пьяница с почти двадцатипятилетним стажем, приехал в Москву из Урюпинска, где его не брали даже в театральную студию при местном Доме культуры по причине совершеннейшей неспособности что-либо сыграть на сцене, окромя самого себя.

Свободных ролей тупиц в пьесах не было, все были давным-давно расхватаны, но в столице, к удивлению знавших Шаловливых земляков, Александр тут же стал востребованным. Его мало что выражающее лицо и пустые глаза замелькали то тут, то там в театральных постановках, а с момента активного развития сериального движения Шаловливых продвинули и на экран. Снявшись в нескольких весьма посредственных фильмах, где качество как сценария, так и всего кино было подменено «остротой» матерных диалогов и откровенными грязноватыми постельными сценами, Александр вошел в обойму актеров—«русских мачо», чьи образы пропагандировались околокультурными СМИ. Возгордившись, Шаловливых принялся пить еще больше и добухался до белой горячки, что, впрочем, не помешало ему сниматься и далее. А справку о «делириум тременсе» он с гордостью демонстрировал каждому новому знакомому, словно это был диплом лауреата Нобелевской премии.

Образ «дикого мужчины», который так славно обстебала группа «Ленинград», был визитной карточкой Александра. И очень нравился придурковатому Подмышкину, готовому максать Шаловливых по две тысячи долларов за съемочный день...

Приятель и собутыльник главного героя, пухлощекий Владислав Голубкин, игравший в «блокбастере» Подмышкина роль «капитана ФСБ», был славен своими истеричностью, тягой к совершению мелких пакостей, непорядочностью в денежных вопросах и физиономией, при определенном ракурсе и с небольшого расстояния напоминавшей целлюлитную задницу. Сие сходство подмечали еще одноклассники Голубкина, всячески дразнившие маленького Владика и называвшие его «жопомордым».

Владик страшно обижался и жаловался маме.

Та поначалу не обращала внимания на нытье сына, но потом присмотрелась и поняла, что в словах товарищей Голубкина по играм есть резон. Расстраивать чадо она, естественно, не стала и объяснила отпрыску, что одноклассники просто завидуют его красивому личику, посоветовав Владиславу выйти на улицу и обратиться с этим же вопросом к любому взрослому человеку. Мама справедливо полагала, что прохожие не станут обижать ребенка и подтвердят ее правоту.

Но все произошло с точностью до наоборот.

Владик выскочил на улицу, которая по трагическому стечению обстоятельств была в тот час пустынна, и склонился над открытым люком колодца телефонной трассы, в котором сидел электрик и возился с какими-то проводами.

Задать волнующий его вопрос десятилетний Голубкин не успел.

Только тень от его головы легла на переплетение разноцветных кабелей, как электрик поднял глаза и бешено заорал, грозя кулаком:

— Не срать! Не срать! Я здесь работаю!.. Совсем с ума посходили!

Третьим в группе основных героев будущего «супербоевика» был питерский актер Витя Сухопочкин, маленький, лысый и неуравновешенный гомик, прославившийся ролями в нашумевших фильмах «Кузен» и «Кузен-два», где он сыграл троюродного брата главного героя. Четвертым — бывший ди-джей и ведущий телевизионного ток-шоу «Форточки» Дима Ганиев, в расстегнутой, по обыкновению, до пупа рубахе и с перетянутым аптекарской резинкой хвостиком волос на голове.

Сухопочкин и Ганиев изображали в фильме Подмышкина «очень страшных» террористов...

— Андрей Никифорович,— представил Лиходея генеральный продюсер и шикнул на неадекватно среагировавшего Шаловливых, открывшего было рот, чтобы предложить главе «Питер-Энерго» хлопнуть по рюмочке.— Он спасет город от взрыва.

Стоявший в нескольких метрах от Никодима Авдеевича режиссер удивленно приоткрыл рот. Про изменения в сценарии ему никто ничего не говорил.

— Эй! — Подмышкин махнул режиссеру рукой.— Иди сюда!

— Эффектов,— буркнул постановщик, пожимая влажную ладонь Лиходея.— Гиви Станиславович.

— Вот все и в сборе! — радостно заявил владелец «Акын-фильма» и приосанился.— Обсудим сегодняшний эпизод. Значит, так... Я еду на аквабайке вдоль набережной, в меня стреляют террористы, но не попадают.— Подмышкин указал на качающийся от легкой волны салатно-зеленый гидроцикл «Bombardier», пришвартованный напротив одной из Ростральных колонн.— Потом они кидают гранаты, я проношусь между взрывами, и тут появляется катер со спецназовцами,— и Никодим Авдеевич строго посмотрел на готового упасть Шаловливых, с утра всосавшего уже пол-литра недорогого молдавского портвейна и разморенного жарой.— Террористы убегают, спецназовцы гонятся за ними. Я уезжаю к Петропавловской крепости... Гиви Станиславович, у тебя все готово?

Режиссер, углубившийся в раздумья о том, не стоит ли ему изменить псевдоним Эффектов на более звучный — Суперэффектов, вздрогнул и гулко сглотнул.

— Снимаем на две камеры,— гордо произнес Подмышкин и повернулся к операторам.— Эй, вы там как? Кассеты вставили?

Работники объектива, вооруженные совершенно неподходящими для создания нормального кино камерами «Sony DCR-PC110E Digital Handycam» и «Sony DCR-TRV20E Digital Handycam», синхронно кивнули и продолжили перемалывать челюстями бесконечную жвачку.

Операторам было плевать, что получится у Подмышкина в результате — домашнее видео с мало-мальски толковым сюжетом или набор бессмысленных срезок и кадров. Все равно работать на той аппаратуре, что закупил прижимистый Никодим Авдеевич, было невозможно. Привыкшие к «Ariflex 435» или, на худой конец, к «DVW-707P» операторы поначалу удивились, когда им предложили использовать бытовую технику, но затем здраво рассудили, что продавать кино и отвечать за спущенные в унитаз деньги придется главе «Акынфильма», и согласились поучаствовать, добившись получения своих гонораров вперед.

— Ну, я пошел,— изрек Подмышкин, специально назначивший запись трюков на время приезда Лиходея, дабы поразить гендиректора «Питер-Энерго» размахом съемок.— Вы, Андрей Никифорович, тут осваивайтесь. Гиви Станиславович вам все покажет. Сейчас эпизодик забацаем и потом обсудим кадры с вашим участием...

Сидевший поодаль Циолковский принял из рук персонального парикмахера центрального персонажа очередную запотевшую бутылочку «Holsten».

* * *

— Я что-то, блин, не понял,— зоркий Штукеншнайдер приложил ладонь козырьком ко лбу.— Диня, Паша! Видите перца в «кабане» Лиходея?

Рыбаков навел бинокль на полуоткрытое окно задней левой дверцы лимузина гендиректора «Питер-Энерго»:

— Ну, вижу... Кто он такой?

— По-моему, я его видел среди цыган в Металлострое. Главный по кислоте, грибам, «катьке» и амчику...

— А здесь он что делает? — не понял Вазелиныч.

— Хрен его знает,— пожал плечами Телепуз.— Я даже и не думал, что они с Лиходеем знакомы.

– Ты не ошибся? Может, это не тот перец? – спросил Молодцов.

– Да тот, тот! – Григорий еще раз внимательно посмотрел в сторону черного «мерседеса».– Сто процентов – он.

Денис опустил бинокль и погрузился в размышления.

Общие дела главного питерского энергетика и оптового торговца наркотой были новой вводной, полностью меняющей весь расклад.

* * *

Подмышкин порычал двигателем гидроцикла, взял старт и помчался вдоль гранитной набережной Стрелки Васильевского острова.

Ганиев и Сухопочкин картинно застыли у парапета с «калашниковыми» наперевес. На стволы автоматов были навернуты специальные белые пластмассовые насадки для стрельбы холостыми патронами.

Один из операторов взял крупным планом ухо ведущего ток-шоу «Форточки», в котором болталась маленькая серебряная сережка. Дырка для серьги была крупновата, ибо она прокалывалась не врачом, а пробивалась гвоздем в ту пору, когда никому не известный Ганиев околачивал груши в театральном институте.

В один из декабрьских дней тысяча девятьсот восемьдесят девятого года, а именно – вечером в субботу, будущий ди-джей и секс-символ пристал к своему однокурснику с делом «на миллион», попросив того помочь в проколе уха, дабы заявиться на дискотеку с серьгой.

— Но я не умею! — попытался отбрехаться сокурсник.— Я ж не доктор! Я даже не знаю, как это делается!

— Фигня! — заявил готовый к такому повороту разговора Ганиев.— Я все приготовил! — И достал из полиэтиленового пакета гвоздь-сотку, молоток на длинной рукояти, флакон одеколона для дезинфекции инструмента и серьгу.

Однокурсник понял, что увильнуть от помощи, ссылаясь на свой дилетантизм в проведении такого рода мероприятий, ему не удастся, и стал жалобно сетовать на боязнь вида крови.

— Короче,— Ганиев прервал нытье приятеля.— Тут делов на шесть секунд. Можешь с закрытыми глазами все делать, если такой пугливый... Я положу ухо на подоконник, приставлю гвоздь, а тебе останется только стукнуть по шляпке. Я бы и сам сделал, но одному неудобно. Все нормально будет, ударишь посильнее — и готово.

— Ну смотри, ухо твое,— сдался однокурсник.

Бесстрашный Дима пристроил мочку уха на подоконнике, приставил гвоздь и замер в ожидании.

Сокурсник примерился, тюкнул и вогнал острозаточенный стальной штырек по самую шляпку, качественно и надежно прибив ухо к подоконнику.

— Вытаскивай гвоздь! — завопил Ганиев.

— Чем? — развел руками помощник в деле пробивания уха.

— Ищи пассатижи! — Дмитрий задергался, кляня себя за непредусмотрительность.

Вечером в субботу найти в общаге театрального института пассатижи оказалось делом не совсем простым. Столяра на месте не было, пьяный комендант заперся в своей комнатушке и на стуки в дверь не реагировал, у дамского контингента нужного инструмента отродясь не бывало. Так что доморощенный любитель пирсинга ждал сокурсника почти полтора часа, скрючившись у окна и стоически перенося насмешки бродивших по коридору студентов.

Еще минут пятнадцать ушло на извлечение гвоздя, заливку дырки в ухе одеколоном и примерку серьги.

Спустя весьма непродолжительное время, когда однокурсник Ганиева стал только-только приходить в себя от перенесенных переживаний, дверь в его комнату с грохотом распахнулась и на пороге материализовался Дмитрий с перекошенной от злости физиономией.

— Ты зачем из меня педераста сделал?! — с места в карьер начал Ганиев.

— В каком смысле? — осторожно осведомился сокурсник, прикидывая, кто из знакомых мог воспользоваться полуторачасовым беспомощным состоянием приятеля.

Кандидатов на роль «актива» оказалось на удивление много.

— Ты мне не то ухо пробил! — завизжал Дмитрий.— В это ухо только голубые серьги вставляют!

— Уф, ты об этом! — облегченно выдохнул приятель.— Но ты ж сам ухо на подоконник клал.

— А ты не мог меня поправить?

— Да я-то откуда знаю, какое ухо надо пробивать? Я ж не педик!

— Давай другое пробиваем,— на свет Божий появились давешние молоток, гвоздь и одеколон.

Однокурсник решил не спорить, побыстрее отвязаться от прилипчивого Ганиева и привычным движением вколотил гвоздь во второе подставленное ухо, опять пришпилив пирсингомана к подоконнику.

— Вытаскивай,— сжав зубы, проскрипел Дмитрий.

— Я, это...— похолодел сокурсник,— я пассатижи уже того... отдал...

— Ну так снова возьми! — Ганиев был близок к нервному срыву.

Происшедшее через сорок минут извлечение гвоздя превратилось в общеобщажное развлечение и живо напоминало хронику пыток в гестапо.

К несчастью для Дмитрия, на этот раз гвоздь вошел в сучок внутри доски подоконника, немного изогнулся и застрял. Так что дергали его с полчаса, регулярно отливая терявшего сознание от боли Ганиева холодной водицей из ведра...

Аквабайк «Bombardier» прошел мимо первого контрольного буйка.

Сухопочкин и Ганиев вскинули автоматы и потянули за спусковые крючки.

«Калашниковы» плюнули огнем.

Пиротехник нажал на кнопку пульта дистанционного управления маленькими зарядами, размещенными на длинном плавающем тросе на поверхности воды и должными изображать попадание пуль в реку.

Вверх взметнулись брызги.

Подмышкин, которому не давали покоя лавры режиссеров, создавших такие «шедевры» российского кино, как «Убогая сила», «Мужская работенка» и «По имени Пижон», решил усилить картинку: он резко развернул руль гидроцикла влево, чтобы промчаться на нем впритирку к гранитному парапету, и полностью выжал рукоять газа.

Тяжелый «Bombardier» чиркнул бортом о набережную, взмыл в воздух и, перевернувшись в воздухе, перелетел через парапет, на полпути лишившись выпавшего из седла лихого наездника. Почти три сотни килограммов железа и пластмассы вспахали газон, сшибли два огромных «юпитера» и с грохотом врезались в бок трейлера для перевозки съемочного оборудования.

Спустя секунду взорвался топливный бак гидроцикла.

Местность заволокло дымом...

* * *

— На-армально! — Пораженный Денис оценил трюк Подмышкина.— Там Циолковского хоть не зацепило?

— Не, он в стороне сидел.— Телепуз привстал и попытался что-либо разглядеть в мельтешении орущих фигур, поливавших останки гидроцикла и разбитый трейлер пеной из огнетушителей.

* * *

Эффектов и несколько добровольцев из числа зрителей выловили из реки едва трепыхавшегося генпродюсера и оттащили его на лавочку.

Никодиму Авдеевичу было худо как физически, так и морально.

Он сильно треснулся копчиком о гранит, прежде чем плюхнуться в Неву, и наглотался воды с ощутимым привкусом мазута. Спасательный жилет отчего-то не сработал, и плохо умевший плавать Подмышкин чуть не утонул.

Моральные же страдания заключались в неудачном выступлении перед Лиходеем, убывшим с места съемок, даже не дождавшись окончания тушения пожара.

Подмышкин для проформы накричал на техников, готовивших аквабайк, получил кулаком в пузо от возмущенного представителя фирмы «Bombardier», вынужденного теперь придумывать, как списать незастрахованный гидроцикл стоимостью двенадцать тысяч долларов, изверг из себя еще три литра воды, окончательно ослабел и позволил отнести себя в вагончик гримеров.

Съемочный день был окончен.

Разработанным братками планам похищения гендиректора «Питер-Энерго» с площадки и вывоза его в безлюдное место для допроса с пристрастием также не суждено было осуществиться.

* * *

— Так, здесь нам делать больше нечего,— Денис встал со ступеньки и потянулся.— Циолковского тоже можно отзывать. Лиходеюшку придется отлавливать как-нибудь иначе...

— Как? — живо заинтересовался работящий Вазелиныч.

— Придумаем,— с оптимизмом сказал Рыбаков.— Где наша не пропадала!.. К тому же сегодня мы выяснили кое-что немаловажное о круге общения нашего клиента.

Глава 9

МАЛ ЗОЛОТАРЬ, ДА ПАХУЧ

— В середине девяностых довелось мне поработать в одной забегаловке под названием «Бургерхаус»,— Юрий Иванович одним движением свернул накрахмаленную салфетку в почти идеальный конус и установил ее на чистую тарелку для закуски.— Народ был тогда молодой, задорный, приколы выдумывались буквально на ходу. Итак, зарисовка с натуры, из личной практики... Есть в подобных заведениях такие агрегаты, в которых готовится картофель-фри. Кто не видел, объясняю: это такая здоровая фритюрница, литров на пятьдесят кипящего масла. Опускаешь туда в железной сетке нарезанную сырую картошку, нажимаешь кнопку, через три минуты пищит зуммер, достаешь, фасуешь по пакетикам, и все в порядке. Простой полуавтомат, называется «станция картошки». В общем, стою себе спокойно, тружусь на этой самой станции, никого не трогаю. Подводят ко мне девушку – первокурсницу из поварского училища. Блондинка, глазищи синие-синие и такие маленькие аккуратные мозги при фигуре куколки... Менеджер мне и говорит: «Юрий Иваныч, вы у нас сотрудник опытный, научите девушку работать на картошке». «О'кей,– говорю... Как звать?» – «Настя...» – «Хорошо, Настя, смотри, это новейшая разработка фирмы „Нагасаки" – фритюрница „Харакири", последняя модель». Далее объясняю принцип работы...

Сидевшие вокруг стола Рыбаков, Глюк, Ортопед, Паниковский, Тулип, Гоблин и Горыныч дружно хмыкнули.

– Ну и напоследок,– продолжил заслуженный заведующий производством, широко известный далеко за пределами питерских точек общепита,– сообщаю: «А чтобы заработала эта чудо-машина – жмешь кнопку и громко и внятно говоришь – „Жарься, парься, картошка, аригато, сенсей, масяй"...» Типа, фритюрница еще не полностью русифицирована, поэтому по-русски и по-японски надо команду говорить. «Поняла?» – спрашиваю. Настя кивает... Ну, с пятой попытки у нее все получилось, я побежал по своим делишкам и забыл о девочке напрочь. Спустя неделю, пробегая мимо станции картошки, меня остановил отчетливый бас здорового амбала: «Жарься, парься, картошка, аригато, сенсей, масяй...» А я-то все никак до этого не мог понять, почему от посетителей регулярно слышно: «Ну вот, набрали даунов по объявлению»...

Денис и братки заржали.

Довольный произведенным эффектом, Юрий Иваныч поднялся со стула и ушел на кухню, где готовились салаты для предстоящего вечером банкета.

— Так что выяснил, Эдисон? — Рыбаков вернулся к разговору, прерванному появлением заместителя директора плавучего ресторана «Тирпиц», куда Денис со товарищи заскочили перекусить.

— Лиходей сегодня принимает какого-то козла из Европейского банка,— прогудел Паниковский.— Вечером собираются в круиз по Неве. Пароходик арендовали, с десяток барыг еще приглашены...

— Этот уродец какой-то многостаночник,— заворчал Ортопед.— И электричеством рулит, и политикой пытается заняться, и с западниками якшается, и с дурдилерами...

— Хлопнуть его — и все дела,— предложил Горыныч.

— Хлопнуть не сложно,— Рыбаков набулькал себе минеральной воды «Охтинская» в высокий тонкостенный стакан.— Но это, во-первых, не поможет нам получить свои деньги, и, во-вторых, вызовет ненужную активность мусоров.

— Это да,— печально согласился Колесников.

— К фонду его подобраться надо,— сказал Гоблин.

— Какому фонду? — заинтересовался Денис.

— Куда он, блин, лавэ на выборы сваливает,— подкованный в вопросах политической жизни города Чернов закурил тонкую сигариллу, извлеченную из плоской жестяной коробочки с надписью «Café Cremè».— Потому, кстати, и тарифы на электричество все время растут... Готовится, козёл. Черного нала ему много понадобится. Уже, кстати, свою кампанию начал.

— Ты имеешь в виду выборы в ЗАКС или губернаторские? — уточнил Рыбаков.

— И те и другие.— Гоблин положил руки на стол.— На депутатов, конечно, меньше уйдет, тут он просто хочет поставить пару-тройку своих людишек, чтобы нужные решения проталкивать... Основной упор, конечно, на губернаторские.

— Лиходей непроходной,— пожал плечами Аркадий Клюгенштейн.— Он же полное чмо. И народ это знает...

— Народ знает то, что в газетах напишут и по телевизору скажут,— назидательно заметил Гоблин.— За год можно любого раскрутить. Даже такого, как Никифорыч.

— А постоянное повышение тарифов как объяснить? — осведомился Денис.— Люди уже от цен на электричество звереть начали. Всем же понятно, что Лиходеюшка капусту себе в карман шинкует.

— Вопрос сложный, но решаемый,— Чернов, несколько лет назад увлекшийся журналистской деятельностью и не упускавший возможности пару раз в месяц тиснуть статейку-другую в «Новом Петербурге», «Калейдоскопе» или в питерской «Комсомолке», стряхнул пепел на блюдце.– Для начала отвлекут внимание от Лиходея чем-нибудь не менее скандальным и из той же оперы. Например, телефонной повременкой... Если ее ввести, народ на уши встанет. Особенно интернетчики и коммерсанты. А это – наиболее активная часть населения. Считай, тысяч восемьсот избирателей, как минимум...

– Согласен,– кивнул Рыбаков.– Причем разговоры о повременке уже начались. Но здесь есть один маленький нюанс, который наши придурочные телефонисты не учитывают. Любой монополист обязан предоставлять потребителю альтернативный вариант оплаты услуг. Если есть повременка, то должна быть и фиксированная абонентская плата. Не будет – подается иск в суд, который мгновенно обяжет телефонщиков в течение месяца ввести две разных формы оплаты. А антимонопольный комитет еще такой штраф грохнет, что мало не покажется...

– Правильно,– улыбнулся Гоблин.– Но ведь смысл базаров о повременке не только в том, чтобы денежку с людей стрясти, но и в том, чтобы отвлечь внимание. Пока все будут пинать телефонистов, команда Лиходея получит передышку и успеет подготовить поляну для атаки...

– В принципе,– задумчиво сказал Денис,– на месте Лиходея я бы сейчас подогрел истерию, выставил бы губера полным импотентом, не способным справиться с ситуацией, а потом одним ударом решил бы вопрос, договорившись об отложении срока введения повременки на неопределенный срок. К примеру, публично предупредив телефонистов, что если те не угомонятся, то для них персонально тарифы на электричество будут повышены на порядок. И стал бы, типа, спасителем города...

— Так именно это сейчас и происходит,— подтвердил Чернов.— Никифорыч уже проплатил не один десяток публикаций о повременке.

— Я недавно видел передачу на эту тему,— вспомнил Ортопед.— Стульчаковиха вела... И, между прочим, брала интервью как раз у Лиходея. Эксперт, мать его...

— Вот-вот,— нахмурился Рыбаков.— Жизнь бурлит, а мы пока в стороне.

— У тебя есть какие-то планы на этот счет? — обрадованно спросил вот уже неделю изнывающий от безделья Горыныч.

— Пока только наметки,— признался Денис.— Надо обмозговать кое-что. Но перспективы уже вытанцовываются...

* * *

Следователь прокуратуры Приморского района Сара Абрамовна Лопоухман с самого утра пребывала в дурном настроении.

И было от чего.

Объективная реальность, данная хомо сапиенсу в виде ощущений, не переставала гнобить несчастную следовательшу и постоянно подбрасывала ей мелкие и крупные неприятные сюрпризы.

Самым ощутимым в последний месяц было введение в действие нового Уголовно-процессуального кодекса, лишившего прокурорских работников права давать санкции на аресты подозреваемых и передавшего сии функции судам. Одномоментно по всей стране тысячи надзирателей за законностью лишились существенного приработка, во много раз превышавшего их нищенское жалование. Роптать было бессмысленно — закон прошел все необходимые чтения, был подписан президентом и вступил в силу, вызвав прилив радостного возбуждения у гуманоидов в черных мантиях, коим сделали поистине царский подарок.

Попытки «договориться по-хорошему» с судейским корпусом и начать пилить доходы от принятия нужных решений пополам ни к какому результату не привели. Да и кто же добровольно расстанется с упавшей прямо в руки халявой? Судейские пошли на принцип, выгнали из кабинетов ходоков из прокуратур, пригрозив им негативными последствиями, ежели «синие» не смирятся с перераспределением рынка правоохранительных услуг, и принялись с визгом шинковать деньгу, чуть ли не вывесив на дверях приемных прайс-листы с расценками «за освобождение в зале суда», «за отказ в применении ареста» и тому подобное.

К глобальному потрясению добавился и скандал местного значения.

Группа дознавателей и оперов из тридцать пятого отдела милиции была задержана в поселке Лосевка сотрудниками ФСБ за драку с коллегами из

Выборгского района, где обе команды ментов участвовали в мероприятии по приобретению железного контейнера с радиоактивным мусором. Обитатели дома номер четыре по Литейному проспекту, уставшие от безумных объяснений скрученных «ГрАДом» мусоров, передали последних по территориальности, дабы с ними разбиралось районное руководство.

Ответственной за выяснение истины прокурор Приморского района Баклушко назначил Лопоухман.

В семейной и в личной жизни у Сары Абрамовны также было не все в порядке.

Ее любимый сыночек, тщившийся получить первое место на общегородской олимпиаде среди учащихся еврейских лицеев, передрал из Интернета широко известный рассказ «Маленький мальчик в Йом Кипур», выдал его за свое сочинение и был с позором лишен именного талмудика с дарственной надписью главного раввина питерской синагоги.

Ближайшая подруга Лопоухман, работница Следственного управления ГУВД Ирина Львовна Панаренко, в девичестве – Фира Лейбовна Стукельман, путем интриг отбила у Сары ее «молодого человека», с которым та познакомилась через крышуемое Приморской прокуратурой агентство знакомств «Russian Superwomen».

Конторка была еще та, в основном занималась обыкновенным сводничеством, поставляя проституток-«фотомоделек» богатеньким папикам, но иногда исполняла и заявленные в своем уставе обязанности.

Подобранный для Лопоухман «друг» оказался весьма солидным бизнесменом, кровно заинтересованным в близких и интимных отношениях с правоохранительными органами посредством Сары Абрамовны. Через Интернет коммерсант проплатил директору агентства, выступавшему под странным для мужчины и отчего-то имевшим множественное число псевдонимом «Рашн Гёрлз», две тысячи долларов, и тот свел предпринимателя со следовательшей.

Отношения поначалу развивались нормально, Лопоухман уже грезились собственная «Ferrari Maranello» цвета крови христианского младенца и трехэтажная вилла под Хайфой рядом с поместьем сбежавшего в Израиль телемагната Индюшанского, как вдруг все мечты были грубо растоптаны появившейся на горизонте Панаренко. Бизнесмен быстро ощутил разницу между занюханной районной следачкой и дамой с Захарьевской, и переметнулся под жирный бочок к Ирине Львовне, оставив Сару Абрамовну с внушительным угреватым носом.

Лопоухман устроила «Рашн Гёрлз» дикую сцену, расцарапала худощавому директору агентства знакомств его заостренно-крысиную похотливую рожицу, расстреляла из табельного «макарова» все компьютеры в офисе «Russian Superwomen» и взяла недельный отпуск, чтобы привести в порядок расшатанные нервы...

Лопоухман тяжело вздохнула, вновь вспомнив о коварной Панаренко.

— К-как д-дела с нашими д-д-дознавателями? — Скрипучий голос районного прокурора вывел Сару Абрамовну из мира печальных дум.

— Работаю,— обтекаемо ответила Лопоухман и обвела потухшим взором собравшихся на совещание в кабинете Баклушко коллег.

— К-когда б-будет результат? — не успокаивался Андрей Викторович.

«Да п-п-пошел ты!» — со злобой подумала следовательша и зашелестела листочками бумаги, сделав вид, что ищет нужный документ.

— Видимо, к началу следующей недели,— сказала заместитель прокурора Манилова, курировавшая следствие в районе.

— М-меня со сроками т-торопят,— пожаловался Баклушко.— Инцидент из ряда в-вон в-выходящий, н-надо побыстрее разоб-б-браться...

— Разберемся,— отмахнулась Манилова.— Наложим взыскания и закроем тему.

Андрей Викторович покивал с умным видом и переключился на вопрос о грядущем дне рождения прокурора города Ивана Израилевича Сыдорчука, которому необходимо было преподнести хороший подарок. А Сара Абрамовна опять погрузилась в свои невеселые мысли...

В результате, спустя неделю после совещания у Баклушко, так ничего и не сделавшая в плане расследования происшествия с сотрудниками тридцать пятого отдела Лопоухман направила прокурору стандартную отписку, в которой говорилось, что сведения об участии Опоросова, Пугало, Пятачкова, Яичко, Землеройко и примкнувших к ним сержантов ППС в совершении противоправных деяний «не нашли объективного подтверждения», и списала материалы проверки в архив.

Отделавшиеся лишь легким испугом опера и дознаватели испытали дотоле неведомое им чувство благодарности к следовательше, скинулись Саре Абрамовне на духи «Climat» и отправили за ними старлея Самобытного, который объявился в отделе только через неделю,— измазанный в грязи, с фингалами под обоими глазами, в мешковатом сереньком пиджаке на голое тело, в одном ботинке и без копейки денег. Быть ему битым, если бы не одно важное обстоятельство – сразу после ухода Самобытного бравый ефрейтор Червяковский прибежал в участок с известием об обнаружении им трех бочек поспевшей браги в подвале соседнего с РОВД дома, и весь коллектив ринулся туда.

Двое суток мусора не просыхали, так что все воспоминания о сборе денег и убытии старшего лейтенанта в магазин «Ланком» были смыты мутным потоком пахнущей дрожжами жижи.

Явление Самобытного вызвало в коллегах прилив энтузиазма, его расспросили о житье-бытье, посетовали, что он напрочь лишился памяти о прошедших семи днях, и налили полстакана «Hugo Boss».

А затем собрались в кабинете у Балаболко и принялись обсуждать, что делать с конфискованными у азербайджанских перекупщиков пятью тоннами арбузов – продать оптом тем же перекупщикам и деньги пропить или загрузить начавшую попахивать кисловатым мякоть в освободившиеся от браги бочки, засыпать сахаром и подождать несколько дней...

* * *

Денис подошел к самому краю площадки, на которую с набережной вели две пологие лесенки, и оглядел реку сначала справа налево, от Дворцового моста до сфинксов, затем в обратную сторону.

— Говоришь, они тут кататься будут?

— Угу,— кивнул Эдисон.— Стартуют у Зимнего, дойдут до залива, там покрутятся и назад...

— А сколько часов нам потребуется, чтобы «ястребы» сюда подогнать?

— Нисколько. Они ж на Ваське стоят, в яхт-клубе,— спокойно отреагировал Цветков.— Оттуда ходу минут пятнадцать.

— Годится,— Рыбаков повернулся к умиротворенно прищурившемуся Ортопеду, рассматривавшему памятник Менделееву на противоположном берегу Невы.— Миша, поехали... У нас сегодня еще дел — завались.

* * *

Президент холдинга «Сам себе издатель» долго не размышлял, соглашаться или нет на предложение Лиходея с Базильманом. Разумеется, деньги надо было брать, особенно те, что посулили визитеры.

Сто восемьдесят тысяч евро.

Это при том, что себестоимость заказанных листовок составляла чуть более десяти процентов от суммы. Все остальное Исмаил Вальтерович клал себе в карман.

Дудо разгладил доставленный нарочным образец агитки и попытался вчитаться в текст, выискивая в нем хоть какой-нибудь негатив на действующую городскую власть.

Негатива бизнесмен не обнаружил, как ни старался.

Листовка представляла собой набор довольно стандартных призывов голосовать за губернатора и его команду, обещания еще лучше, чем раньше, заботиться о малообеспеченных гражданах, строить больше домов, чаще ремонтировать дороги, и оканчивалась недвусмысленным намеком на поддержку кандидатуры нынешнего главы города президентом США и тибетским далай-ламой.

Исмаил Вальтерович поднял глаза и посмотрел на свое отражение в зеркале.

На широком лице бизнесмена отражался лишь недавно принятый за основу сексуальной жизни Дудо лозунг «Долой самообладание!», и больше ничего. Глаза за стеклами очков были пусты, щеки слегка обвисали, из ноздрей задорно торчали пучки жестких рыжеватых волосков, розовели глубокие залысины.

Книгоиздатель полюбовался собой и вернулся к чтению, от которого его отвлекло бурчание в животе и последовавшая вслед за этим серия кишечных позывов.

Вернувшись из сортира, повеселевший и окрыленный очередной «гениальной» идеей Исмаил Вальтерович собрал незапланированное расширенное совещание. В течение часа он распинался на тему многоуровневого маркетинга, пригрозил сотрудникам отдела реализации увольнением, если те не повысят за месяц объем продаж вдвое, похвалил начальницу производства за своевременные доклады об опозданиях и иных нарушениях трудовой дисциплины и, наконец, объявил о частичной реорганизации системы распространения продукции.

Теперь за каждым заведующим редакцией и начальником даже самого мелкого отдела закреплялась своя торговая точка, и спрашивать за падение потребительского спроса Дудо вознамерился именно с них.

Если завредакциями спокойно отнеслись к очередной дурной инициативе президента холдинга, то начальники технических отделов зароптали. Их не обрадовало известие о том, что теперь зарплата системного администратора, художника или охранника будет напрямую зависеть от торгаша в ларьке.

Исмаил Вальтерович быстро подавил бунт и для острастки публично уволил парочку корректоров, которые хоть и не протестовали против волюнтаризма Дудо, но «сочувственно дышали», когда начальник транспортного цеха спорил с президентом холдинга.

Разогнав участников совещания по рабочим местам, книгоиздатель еще раз посидел на горшке, принял на всякий случай таблетку закрепляющего и стал собираться на встречу с Лиходеем, который пообещал познакомить Дудо с руководителем кредитного департамента ЕБРР.

* * *

На капитанский мостик «ястреба» с наспех замазанными белой нитрокраской бортовыми и кормовым номерами взобрался Нефтяник, поставил в свободное кресло целую вязанку ружей «ТОЗ-87», «Benelli M1 super 90» и «Mossberg 590», и радостно осклабился.

— Ты зачем сюда это принес? — удрученно спросил Денис.

— На всякий пожарный,— Анатолий Берестов раскурил огромную сигару.

Рыбаков оглянулся назад и посмотрел на Горыныча и Ла Шене, втаскивавших на кормовую площадку палубы какой-то ящик.

— Надеюсь, это не глубинные бомбы? — вздохнул Денис.

— Не,— Нефтяник выпустил клуб дыма.— Просто взрыв-пакеты...

— Ясно,— Рыбаков сложил руки на груди.— А они нам к чему? Что мы взрывать собрались?

— Вдруг менты? — вопросом на вопрос отреагировал Толя.— Пригодятся.

— Тогда надо было гранатометы брать.

— Думаешь? — Берестов нахмурился, что-то припоминая, и полез за мобильником.

— Я пошутил,— Денис попытался остановить Нефтяника.

— Но, блин, мысль-то здравая,— Толик вошел в записную книжку телефона и принялся искать нужный номер.— Как же я сам не дотумкал?..

* * *

Пых покрутился на причале, от которого отошел расцвеченный гирляндами огоньков прогулочный теплоходик, вернулся к своей «BMW 540», еще раз пересчитал выстроившиеся в ряд черные «мерседесы» и «Волги», на которых к пристани прибыли гости гражданина Лиходея, забрался в свою машину и нажал кнопку спутникового коммуникатора, соединенного с мобильником Кабаныча.

* * *

— ...Иду мимо «Красных ворот» [1], вижу лоток,— Гугуцэ продолжил свой рассказ о последнем посещении столицы.— Мясо лежит. Свининка горячего копчения, говядина холодного, балыки, бастурма, колбасы... Даже страусятина замороженная есть. Тут замечаю маленький ценник — «суслятина гэ-ка». Ну, блин, думаю, до чего дошли! Уже сусликов горячего копчения продают... Интересно мне стало. Я ж, в принципе, все жрал — и крокодила, и акулу, и броненосца печеного, и саранчу. Но сусликов не приходилось... Решил на пробу взять. Пальцем ткнул и говорю продавщице: «Свесь-ка ты мне, милая, граммов двести суслятинки гэ-ка...» А она ка-ак заорет: «Суслятина — это я! Галина Константиновна меня зовут!»

1 *«Красные ворота»* — станция московского метрополитена.

— Бывают обломы,— философски заметил Стоматолог, отпивая чай с медом из полулитровой фаянсовой кружки.

В дверь каюты просунулась голова Ди-Ди Севена:

— Начинаем...

Взревели двигатели «ястребов», и катера отвалили от причальной стенки, на которой вот уже третий год болтался выцветший транспарант «Хренкин Редькина не слаще!», оставшийся с прошлых выборов в Законодательное собрание города на Неве.

* * *

— Но я все же не пойму,— Дудо взял Базильмана под ручку и отвел к леерам правого борта теплоходика,— зачем вам печатать листовки в поддержку своего противника?

Мэр Шлиссельбурга с жалостью посмотрел на идиота-издателя.

— Исмаил Вальтерович,— президент холдинга уже взял деньги, поэтому теперь его можно было посвятить в нюансы плана. Обратной дороги у Дудо не имелось.— Листовки составлены так, что сработают против Водопроводчика (Митя употребил кличку, данную губернатору в желтовато-«демократической» прессе).— Над этим работали настоящие профессионалы... Расставлены ключевые слова, фразы сложены особым образом. Читатель подсознательно обозлится на рекламируемую персону.

— Серьезно? — удивился глава «Сам себе издателя».— А я не заметил. По-моему, они как раз в поддержку.

«Именно потому, что ты дебил, тебя и выбрали их печатать...» — подумал Базильман, рассеянно оглядывая подходящий со стороны кормы теплохода белый скоростной катер.

* * *

— На абордаж! — Вопль Ортопеда разнесся над гладью реки, спугнул устроившихся на ночлег под крышей здания филологического факультета голубей, заставил обернуться гулявших по набережным туристов и привел к тому, что официант, разносивший напитки по верхней палубе, выронил поднос.

Заскрежетало железо бортов, когда катера с двух сторон притерлись к теплоходу.

Ошалевший капитан выскочил из рубки и воздел кулаки к темному небу, намереваясь покрыть большим матерным загибом тех придурков, что стукнулись в его свежеокрашенное судно.

Но произнести даже десятую часть тирады он не успел.

С катеров полетели тросы с привязанными на концах «кошками», лязгнули упавшие на борта раздвижные лестницы, и через леера, словно стая взбесившихся бабуинов, посыпались темные плечистые фигуры, размахивающие короткими ружьями.

Грохнул залп, и по палубе покатились снесенные резиновыми пулями жирные телохранители Лиходея, набранные из уволенных в запас ментов.

Тоненько завизжал Базильман, получивший пинок между ног от преследовавшего европейского банкира Гоблина, кубарем покатился вниз по трапу книгоиздатель Дудо, испускающий полкубометра кишечного газа в секунду, порскнули в стороны истощенные девицы-модели, приглашенные Андреем Никифоровичем для антуража, коротко заорал и затих низкорослый боцман, увидевший в сантиметре от своего лица кулак Мизинчика, что-то быстро забормотал на своем языке темнокожий индус, невесть как оказавшийся среди гостей гендиректора «Питер-Энерго», прыгнул в воду и поплыл к берегу повар в белом колпаке, загудела металлическая дверь в машинное отделение, когда в нее головой вперед вошел сбитый с ног Лиходей, а где-то в глубине теплохода бабахнул любимый «кольт» Стоматолога...

Штурм и захват судна заняли всего три минуты и прошли практически без заминки.

Только Грызлов слегка погорячился и отметелил чиновника из ЕБРР.

Правда, тот был сам виноват. Надо лучше было говорить по-английски и не употреблять двусмысленные выражения.

Бельгиец, подвизавшийся в Европейском банке на должности руководителя кредитного департамента, на произнесенный в утвердительной интонации вопрос Ортопеда «You have dirty deals with mister Lihodey?»[1] после пятисекундной паузы ответил вопросительным тоном: «You asking?»[2]

Чуткое ухо Михаила почему-то услышало в реплике гостя северной столицы двойное «s», полностью изменившее смысл высказывания.

Ортопед мгновенно озверел и с воплем «What?! I'm ass king?!»[3] швырнул нетяжелого бельгийца сначала через стол, а затем от души припечатал того об стену...

Рыбаков проводил взглядом деловитого Комбижирика, проследовавшего по трапу в направлении каюты, где допрашивали гендиректора санкт-петербургского электромонополиста, облокотился на леера и стал смотреть на легкие волны, лизавшие борт выходящего в залив теплохода.

— Оказывается, в фонд Лиходеюшке деньги с наркоты тоже сбрасывались,— подошедший к Денису Циолковский чиркнул спичкой, раскуривая причудливо изогнутую трубку.— Совсем, блин, страх потеряли...

— А на фига ему бабульки от дурдилеров?

— На проплату мусорских разводок,— рыкнул Королев.— Он у них типа посредника. Лавэ передавал и сообщал, кого из конкурентов загасить... И швец, и жнец, и на тарифах игрец.

— Да уж...

— И не говори,— суровый, но справедливый Циолковский глубоко затянулся.— Братаны ему

---

[1] У вас есть грязные делишки с мистером Лиходеем? *(искаж. англ.)*

[2] Вы спрашиваете? *(искаж. англ.)*

[3] Что?! Я — король жоп?! *(англ.)*

предъяву на два лимона вставили. Сейчас доверенности подписывает.

— С наших израильских друзей два лимона, столько же с Лиходея, итого — четыре,— улыбнулся Рыбаков.— Месяц прошел не зря. Только вы его не отпускайте, пока мы капусту не получим.

— Разумеется,— кивнул Андрей.— Посидит, блин, в подвале суток трое...

— В связи с этими фондами у меня появились кое-какие идеи,— сообщил Денис.— Неплохо бы и нам эту тему окучить.

— Да мы завсегда... Ты только скажи,— уверенный в завтрашнем дне Циолковский расправил саженные плечи.

Эпилог

В напоенном прохладным кондиционированным воздухом холле банка «Товарищество братьев Кляйн» изображавшему порученца гендиректора «Питер-Энерго» Рыбакову и сопровождавшим его «бодигардам» Садисту и Горынычу указали на широкий диван, обтянутый тончайшей тисненой кожей «наппа», и попросили немного подождать, пока освободится управляющий.

Левашов с Колесниковым тут же продолжили увлекательную беседу о тонкостях взаимоотношений правильных пацанов с органами государственной власти, начатую еще в «кадиллаке» Садиста, а Денис отправился рассматривать венецианские и каннские пейзажи, коими были увешаны стены.

Акварельные рисунки были хороши.

Рыбаков настолько увлекся, что не заметил выскользнувшую из двери приемной управляющего низкорослую неопрятную женщину в бурой кофте, прижимавшую к обширной груди пачку каких-то документов, и едва не сбил ее с ног, делая шаг к очередной картине.

— Осторожней! — прошипела дамочка и толкнула Дениса плечом.

— Извините,— смутился Рыбаков и посторонился, освобождая проход.

— Совсем перед собой не смотрят! — Женщина презрительно скривилась и уставилась на Дениса маленькими выпученными глазками.— Как ваша фамилия?

— А зачем вам? — удивился Рыбаков, пытаясь вспомнить, где он уже видел эту скандальную особу.

— Я скажу, чтобы вас отсюда уволили! — разошлась дамочка.— Ишь, набрали охрану! Жену представителя президента ни в грош не ставят!

Денис наконец понял, что поимел весьма сомнительную честь столкнуться лицом к лицу с главной редакторшей питерской многотиражки «Час треф» и по совместительству супругой экс-генерала ФСБ по кличке Тапирчик Эммой Чаплиной, и язвительно ухмыльнулся:

— А я не охранник.

Чаплина обескураженно фыркнула и засеменила к выходу.

Рыбаков поправил очки в тонкой золоченой оправе и шагнул к пейзажу с изображением дворца дожей, прикидывая, что могла делать жена полномочного представителя российского президента в банке, где держали свои вклады главные питерские чиновные воры, большинство крупных наркоторговцев и сутенеров и милицейское начальство.

Вывод напрашивался сам собой.

Продолжение следует...

СОДЕРЖАНИЕ

Литературно-художественное издание

Дмитрий Черкасов

РЕГЛАН ДЛЯ БРАТВЫ

Ведущий редактор *Н. Н. Сергеева*
Ответственный редактор *В. Г. Арсеньева*
Художественный редактор *Д. А. Райкин*
Технический редактор *Т. А. Чернова*
Верстка *О. К. Савельевой, И. В. Довбенко*
Корректор *В. Н. Леснова*

ООО «Издательство АСТ»
667000, Республика Тыва, г. Кызыл,
ул. Кочетова, д. 93
Наши электронные адреса: WWW.AST.RU
E-mail: astpub@aha.ru

ООО «Астрель-СПб»
197373, Санкт-Петербург, Комендантский пр., 34,
корп. 1, ЛИТЕР А
E-mail: mail@astrel.spb.ru

Издано при участии ООО «Харвест». Лицензия № 02330/0056935 от 30.04.04.
РБ, 220013, Минск, ул. Кульман, д. 1, корп. 3, эт. 4, к. 42.

Республиканское унитарное предприятие «Издательство
«Белорусский Дом печати». 220013, Минск, пр. Независимости, 79.